पातञ्जल योगसूत्राणि

Os

YOGA SUTRAS

de Patanjali

O livro é a porta que se abre para a realização do homem.

Jair Lot Vieira

पातञ्जल योगसूत्राणि

Os

YOGA SUTRAS

de Patanjali

TEXTO CLÁSSICO FUNDAMENTAL
DO SISTEMA FILOSÓFICO DO YOGA

Tradução do sânscrito e comentários
CARLOS EDUARDO G. BARBOSA
Professor de língua e cultura sânscritas

mantra.

Grafia conforme o novo Acordo Ortográfico da Língua Portuguesa.

1ª edição, 4ª reimpressão 2025.

Editores: Jair Lot Vieira e Maíra Lot Vieira Micales
Coordenação editorial: Fernanda Godoy Tarcinalli
Produção editorial: Fernanda Rizzo Sanchez
Tradução do sânscrito e comentários: Carlos Eduardo G. Barbosa
Revisão: Erika Horigoshi
Projeto gráfico e editoração eletrônica: Studio Mandragora
Capa: Marcela Badolatto | Studio Mandragora

Dados Internacionais de Catalogação na Publicação (CIP)
(Câmara Brasileira do Livro, SP, Brasil)

Patanjali
Os yoga sutras de Patanjali. – São Paulo : Mantra, 2015.

Bibliografia

Título original: पातञ्जल योगसूत्राणि.

ISBN 978-85-68871-01-0 (impresso)
ISBN 978-85-68871-15-7 (e-pub)

1. Meditação 2. Patanjali, Yoga sutra 3. Yoga I. Título.

15-01224 CDD-181.452

Índice para catálogo sistemático:
1. Patanjali : Sistema filosófico do yoga : Filosofia indiana : 181.452

mantra.

São Paulo: (11) 3107-7050 • Bauru: (14) 3234-4121
www.mantra.art.br • edipro@edipro.com.br
@editoramantra

Sumário

Agradecimentos

Nenhuma obra humana pode ser produzida sem a ajuda ou o incentivo de muitas pessoas. Nem mesmo uma simples tradução escapa a isso.

Agradeço de coração a todos os amigos e companheiros de estudos que me ajudaram a compreender melhor os ensinamentos traduzidos neste livro.

Agradeço aos meus alunos, que não sabem que eu muito mais aprendi com eles do que ensinei a eles.

Cito nominalmente Maria Helena de Bastos Freire, pela inestimável oportunidade de ter lecionado por muitos anos em seu Centro de Estudos de Yoga Narayana.

E aos meus pais, Carlos e Elaine, que me iniciaram no interesse pelos temas espiritualistas e filosóficos.

Prefácio

Os Yoga Sutras de Patanjali constituem uma das mais precisas e concisas apresentações da filosofia e da psicologia do Yoga. Em um número relativamente pequeno de versos compactos, os Yoga Sutras elaboram todos os principais temas dessa filosofia milenar. Os Yoga Sutras também respondem a maior parte das principais questões que têm intrigado os filósofos. A essência dos Yoga Sutras, no entanto, não é a eloquência e a concisão com a qual a filosofia do Yoga é apresentada, mas a potência de sua mensagem de libertação espiritual.

Muitas traduções dos Yoga Sutras têm seu foco nos vários pontos da filosofia do Yoga, que necessariamente envolvem um entendimento em profundidade da língua e da gramática sânscritas. Uma abordagem bastante diferente é capturar a essência da jornada de transformação espiritual para além das discussões de filosofia e psicologia do Yoga. O trabalho de Carlos Eduardo Barbosa é único, no sentido em que ele reúne um conhecimento completo de sânscrito e filosofia do Yoga com uma profunda consciência do poder dos Yoga Sutras como guia para a transformação espiritual. Como o Yoga está em evidência, essa rara combinação de entendimento teórico e prático serve como guia essencial para os milhares de praticantes que abriram a porta para o Yoga por meio da prática de Asanas, mas que vão precisar do suporte de um guia confiável, além dos exercícios físicos, caso estejam dispostos a dar continuidade à sua jornada.

Outro ponto que destaca a importância da tradução do prof. Barbosa é o seu entendimento do contexto da obra. Os Yoga Sutras representam uma síntese da sabedoria espiritual que os precede, começando com os Vedas e continuando pelas Upanishadas, trazendo todos os tributários da tradição espiritual da Índia que alimentam a corrente do Yoga. Por causa da vastidão da tradição do Yoga e da natureza profunda de muitos de seus textos, poucos estudiosos do Yoga têm o fôlego e a profundidade para entender e compreender o contexto completo do qual emergiram os Yoga Sutras. Carlos Eduardo Barbosa é um dos poucos que têm conhecimento completo dos contextos espiritual e cultural dos Yoga Sutras. Sobretudo, dos poucos estudos em profundidade que existem sobre os Yoga Sutras, a tradução do prof. Barbosa é, até onde sei, a única produzida diretamente do sânscrito para o português. Isso permite que questões sutis da filosofia e o poder de sua mensagem espiritual sejam plenamente apreciados.

Outro importante fator a ser notado em relação ao trabalho do prof. Barbosa é que a maior parte das traduções dos Yoga Sutras é reflexo de uma linhagem ou de uma tradição filosófica particular. Em muitos pontos dos Yoga Sutras, o significado escolhido dependerá da própria formação ou tradição do tradutor. A maioria das traduções depende pesadamente de comentários anteriores, que certamente lançaram luz no contexto dos Yoga Sutras, mas quando esses comentários falham em capturar a essência de um determinado Sutra, o equívoco tende a se repetir por sucessivas gerações. O prof. Barbosa é um dos raros tradutores dos Yoga Sutras que possui tanto o conhecimento em profundidade do sânscrito quanto um conhecimento amplo da tradição do Yoga para produzir verdadeiramente sua própria tradução, baseada no próprio texto original.

Para estudantes dos Yoga Sutras, como eu, há muitos aspectos deste livro que são particularmente úteis. Vários termos sânscritos são explicados com clareza e profundidade, permitindo um entendimento mais completo, tanto da linguagem sânscrita quanto das ideias filosóficas comunicadas. Esses conceitos são esclarecidos de tal maneira que eles não apenas facilitam um entendimento cognitivo, mas nos despertam para níveis mais profundos de consciência espiritual.

Outra faceta útil desta tradução são as notas laterais que a acompanham. Elas desenvolvem o contexto dos Sutras, não apenas a partir da perspectiva da tradição espiritual da Índia, mas também a partir da mitologia e da tradição espiritual do Ocidente. E, o mais importante, o prof. Barbosa traz à vida e à sua tradução a essência do despertar espiritual, que é o coração do Yoga.

Estou certo de que você achará esta tradução tão útil e iluminadora quanto eu achei.

Joseph Le Page
2 de abril de 2012

Sobre o autor

Considerado o compilador ou sistematizador da tradição do Yoga, estima-se que Patanjali viveu entre os anos de 200 a.C. e 400 d.C. Existem diversas lendas sobre ele, inclusive uma que afirma ser ele uma encarnação do deus serpente Ananta, ou meio homem, meio serpente, ou ainda uma serpente que, desejando ensinar o Yoga ao mundo, caiu dos céus nas palmas das mãos abertas de uma mulher, que, por sua vez, chamou-o de Patanjali. Nos documentos de Sadgurushishya pesquisados por Max Muller, indicam-se cinco gerações de professores da tradição sânscrita, sendo o primeiro Shaunaka, seguido por Ashvalayana, Katyayana, Patanjali e Vyasa. Seus ensinamentos mostram-se tão atuais quanto na época em que foram escritos e, por essa razão, continuam a ser disseminados de geração em geração.

Sobre o tradutor

Carlos Eduardo Gonzales Barbosa nasceu em julho de 1957. Dedica-se ao estudo da cultura indiana desde 1972. Aprofundou-se na matéria a partir de 1979, quando entrou no curso de sânscrito da Universidade de São Paulo. Começou a lecionar a língua em 1982, no Centro de Estudos de Yoga Narayana, no Curso para Formação de Professores de Yoga, onde deu aulas regulares até o início de 2011. Atualmente, reside em Florianópolis (SC), onde desenvolve aulas de sânscrito falado, em consonância com o movimento internacional pela restauração dessa língua para o uso cotidiano. É editor do site *yogaforum.org*. É coautor de *O livro de ouro do Yoga* (Ediouro, 2007) e autor de *A meditação dos Yoguis* (Traço Editora, 2011).

Nota do tradutor

No texto da tradução, adotamos as seguintes convenções para o uso de parênteses e colchetes:

1. Aparecem entre colchetes:

Em itálico: a forma sânscrita do termo que foi traduzido para o português, grafada para que se identifique a que palavra a tradução se refere; e quaisquer comentários elucidativos que consideramos úteis para apresentar no fim da frase.

Sem destaque: um complemento do texto (inexistente no original) que acrescentamos com a finalidade de facilitar a leitura na tradução.

2. Aparecem entre parênteses:

Em itálico: a explicação de algum conceito obscuro que caberia elucidar dentro do próprio corpo do texto.

Sem destaque: a forma traduzida de algum termo mantido em sânscrito mesmo na frase traduzida. Obs.: Algumas palavras sânscritas preferimos manter na forma original, em razão de possíveis confusões que a tradução poderia gerar.

Introdução

A ilustração acima, que pontua os textos desta edição, representa Shiva Nataraja, o deus dos mímicos e dos dançarinos, patrono das artes profanas e das artes ocultas na Índia. É também, segundo a crença popular, o inspirador mítico do sistema do Yoga.

A Índia é um país exótico e misterioso aos olhos dos milhares de viajantes ocidentais que têm percorrido suas terras e sua cultura. Com sua mística e sabedoria profundas, que desafiam os milênios, desenvolveu artes e ciências que, a muito custo, conseguimos igualar e raramente ultrapassar, e guarda segredos que, segundo a tradição, somente serão revelados em séculos vindouros para as nações que ostentarem os méritos exigidos para tal recompensa.

Para os "panditas", os eruditos da Índia, seu país tem um destino traçado por mãos invisíveis. A Índia teria sido feita depositária das lições que um dia devolverão ao resto da humanidade a pureza espiritual perdida em um passado remoto, que teria levado consigo o manancial de saber que nutria o coração dos primeiros homens. O destino da Índia seria, então, o de educar o mundo, ou melhor, de reeducá-lo.

A veracidade dessas assertivas não nos é possível comprovar. O fato é que, desde o fim do século XVIII, quando Sir William Jones traduziu para o inglês um grande número de manuscritos da língua sânscrita, um poderoso movimento formou-se, arrastando as produções do intelecto indiano para todas as partes do mundo. Um fascínio irresistível levou o pensamento e a espiritualidade indianas para Alemanha, Itália, França, Inglaterra, e daí para quase todos os demais países do Ocidente.

Dessa corrente migratória, que já tem dois séculos, faz parte a popularização da prática e do estudo do Yoga. No entanto, essa disciplina indiana chegou ao Ocidente de maneira um tanto inadequada, descrita pelo ponto de vista de alguns instrutores modernos que se atêm excessivamente às práticas corporais, deixando omissos os elementos filosóficos do Sistema. A solução para cobrir essa lacuna histórica é promover a difusão dos Yoga Sutras de Patanjali, que devolvem o caráter filosófico ao estudo do Yoga.

Nosso entusiasmo com o conteúdo dos ensinamentos do Yoga nos estimulou a desenvolver um trabalho que nos permitisse oferecer aos interessados uma tradução simples e direta. Baseada em nossa experiência particular com a matéria, ela tem se mostrado bastante eficiente nos cursos que temos ministrado para futuros professores de Yoga nas últimas décadas.

A palavra indiana darsana (pronuncia-se "dárchana") tem origem no verbo drś, que significa "ver". Expressa uma maneira de observar as coisas, um ponto de vista. Com ela se designavam os Sistemas Filosóficos.

Os seis sistemas considerados ortodoxos dentro da tradição hinduísta eram: Samkhya, Yoga, Nyaya, Vaisheshika, Purva Mimamsa e Uttara Mimamsa, este último bem mais recente que os demais e conhecido como "Vedanta".

Queremos deixar claro que não é uma tradução que segue a interpretação de alguma escola, ou mestre em particular, e que também está longe de ser considerada definitiva, devendo ser objeto de retificações futuras por tradutores mais habilitados. Este é o nosso sincero desejo.

O Yoga é, talvez, o mais difundido sistema filosófico (darsana) indiano. Cada Sistema Filosófico da Índia está baseado em uma obra fundamental que lhe dá os princípios gerais e delineia sua estrutura lógica.

Os Sutras do Yoga, de autoria atribuída a um sábio de nome Patanjali, formam a obra fundamental do sistema filosófico do Yoga. Resumem aquilo que se convencionou chamar de Ashtangayoga, e que Swami Vivekananda popularizou como "Raja Yoga".

Patanjali teria sido o compilador desta obra, que, segundo a tradição, é o resumo e o resultado de alguns séculos de debates entre filósofos e praticantes do Yoga. Não se sabe a data precisa de sua redação original, mas o estilo clássico da versão atual indica que esta última pode ter sido reescrita durante a dinastia Gupta, entre os séculos III e V d.C. O conteúdo, no entanto, sugere que sua composição deve ter ocorrido bem antes disso, por volta do século IV ou V a.C., quando o Budismo ainda estava em seus primórdios.

Seus ensinamentos básicos concordam com a ortodoxia Brahmanica, que está apoiada nos Vedas e subsequentes textos interpretativos. Por essa razão, o Yoga é considerado um dos seis Sistemas Filosóficos que compõem a ortodoxia filosófica da Índia. Cabe dizer, porém, a título de informação, que, dentre os demais Sistemas, chamados *heterodoxos,* encontramos produções cuja profundidade filosófica e alcance histórico igualaram ou mesmo superaram a ortodoxia, como é o caso do Jainismo e do Budismo.

O principal mérito dos Sutras do Yoga foi o de estabelecer um código regulador da prática, baseado em preceitos éticos e em uma delimitação sistemática dos conceitos teóricos envolvidos.

A prática indiscriminada do Yoga induz muitos praticantes a erros de método que podem causar danos ao organismo físico e psíquico. Contudo, o erro mais frequente é de natureza conceitual, fazendo uma boa parte dos praticantes considerar que a perfeição do corpo é imprescindível para a prática adequada do Yoga.

Os Sutras tornam evidente o fato de que o Yoga é uma disciplina que trabalha com a mente, e que o corpo é apenas

A prática do sistema do Yoga começa com cinco preceitos de ordem ética: praticar a não violência (ahimsa), firmar compromisso com a verdade (satya), não roubar (asteya), viver uma vida devotada ao estudo e à espiritualidade (brahmacarya), e livrar-se da cobiça (aparigraha).

uma ferramenta adicional para o correto desempenho prático.

Fica claro que um deficiente físico está tão apto à prática do Yoga quanto um saudável atleta, desde que em ambos exista uma sincera disposição à disciplina do pensamento e do comportamento.

A prática do Yoga também não exige a clausura ou o isolamento do praticante senão nos momentos de meditação, quando é conveniente a ausência de perturbações no local do exercício. No mais, ele pode, e até deve, ser realizado dentro do ambiente social habitual do yogui. Ao seguir os preceitos do Yoga, seu praticante descobre maneiras mais adequadas para a vida comunitária.

A simplicidade na forma foi o critério adotado para a redação sânscrita desse texto. As frases trazem apenas o essencial, reservando-se os necessários esclarecimentos para o ensinamento direto, dado de viva voz pelo instrutor. Alguns mestres mais destacados foram imortalizados em comentários escritos que acompanham o texto em certos manuscritos.

O comentador mais famoso é Vyasa, cujo nome é, na verdade, o nome de um ofício, "organizador". Vyasa teria vivido durante a dinastia Gupta, por volta do quinto século de nossa era.

A palavra sânscrita "Sutra" vem da raiz "siv" que significa "costurar". Os textos chamados Sutras apresentam, de fato, a característica da linearidade em que cada frase é uma decorrência lógica da frase anterior e leva o fio do raciocínio a um encadeamento necessário com a frase que se segue.

Os Sutras eram escritos para o aprendizado de temas complexos e deviam ser memorizados integralmente pelo estudante. A finalidade de sua estrutura linear era facilitar o esforço de memorização. Além disso, nenhum Sutra deveria ser muito extenso pela mesma razão.

São menos de 200 as linhas que descrevem e explicam todo o Sistema. Seu número exato varia conforme o manuscrito consultado, que pode ter algumas frases a mais ou a menos. É praticamente impossível identificar interpolações ou adulterações, já que não conhecemos a versão original e autêntica desse texto.

Por causa dessas características, é evidente que a tradução de um Sutra precisa necessariamente oferecer como resultado um texto no qual a leitura linear, frase a frase, seja formal e semanticamente coerente. Este é o melhor critério a ser adotado na leitura crítica do texto que ora apresentamos.

Vyasa é apresentado pela tradição como um grande sábio, contemporâneo de Krishna e membro da mesma grande família dos Reis Lunares. Dizem que ditou a saga de sua família para que jamais fosse esquecida, e essa história é o Mahabharata, o maior épico do mundo, com cerca de cem mil versos duplos.

Muitos panditas hindus aceitam o ano de 3.102 a.C. como data da morte de Krishna.

Academicamente, acredita-se que os Sutras tenham sido criados em algum momento entre a entrada de Alexandre, o Grande, na Índia (324 a.C.) e meados do Império Gupta (século IV ou V d.C).

O Vyasa do Mahabharata não poderia ter comentado um texto que surgiu somente quase três mil anos após a sua época.

Alguns brahmanes, no entanto, estimam idades para as obras literárias da Índia que são muito superiores às apresentadas pelos historiadores do Ocidente.

O original sânscrito que adotamos para esta tradução tem 196 Sutras. Curiosamente, em nenhuma das publicações que pudemos consultar são citadas as fontes desses originais. No entanto, o texto apresentado por todas elas é idêntico, exceto em alguns poucos detalhes.

Há três sentenças que aparecem no terceiro capítulo que apresentam anomalias. Os Sutras 20 e 22 não aparecem em todas as edições, e o Sutra 41 aparece com uma pequena variação em determinadas versões. Neste trabalho, optamos por não omitir qualquer dos Sutras e apresentar a variação mais completa do Sutra 41.

Em Vivekananda e William Q. Judge, o quarto capítulo tem apenas 33 Sutras, em lugar dos 34 dos demais.

A tradução dos Sutras do Yoga

Quem se propõe a realizar a tarefa da tradução dos Sutras do sábio Patanjali enfrenta um obstáculo inesperado: o grande número de traduções já existentes, assinadas por nomes de pensadores expressivos e respeitados entre os praticantes e estudiosos do Yoga. Ainda que o tradutor tenha uma saudável independência em relação a outras opiniões, ele dificilmente escapa da tentação de examinar o que outros autores e tradutores fizeram para elucidar determinados termos do original sânscrito. E o peso da autoridade que determinados nomes representam interfere de forma vigorosa na maneira como o empreendedor estabelece seus próprios critérios de tradução.

É muito comum o questionamento sobre as traduções, por parte dos leitores, baseado sobre outras traduções, e não sobre os termos originais da obra. Comentários como: "Eu li numa tradução de *fulano* que esse tópico deve ser entendido dessa maneira ou daquela..." são muito frequentes, quando se trata de literatura polêmica. E os Sutras do Yoga constituem um texto bastante polêmico.

Sem fazer pouco caso da autoridade de tantos autores de comentários aos Sutras, bem como dos seus tradutores, percebemos claramente, ao examinar as dezenas de traduções disponíveis na atualidade, que se disseminaram amplamente alguns erros de método. Embora poucos, esses erros prejudicam o resultado do trabalho, não obstante a qualidade e a capacitação do tradutor. Aliás, é justamente a elevada qualificação de alguns tradutores e o respeito que eles conquistaram entre os estudiosos da filosofia e praticantes do Yoga, que ajudam a manter vivas essas falhas na linha do tempo.

A distorção mais comum é resultado de uma opinião corrente entre os adeptos do Yoga, segundo a qual não é possível compreender o texto dos Sutras sem a ajuda de comentários elucidativos. A presença de um mestre seria indispensável, mas, na falta deste, há os comentários escritos que procuram dirimir as dúvidas com extensas explanações a respeito dos principais tópicos tratados em cada frase.

Embora não esteja longe da verdade essa opinião, o problema que ela gerou

O Sistema Filosófico do Yoga é tão simples, que chega a irritar. Nada é mais injusto do que dizer que a filosofia do Yoga é muito complicada.

Na verdade, a complicação só apareceu com as traduções, algumas delas bastante distorcidas.

foi o de deixar os tradutores muito preocupados com a elucidação de cada frase individualmente, o que tornou muito complicada a leitura sequencial do texto. Os Sutras eram textos construídos para facilitar a memorização de um assunto determinado, normalmente um sistema filosófico. A memorização era feita com facilidade, em razão do modo pelo qual as frases eram construídas, de maneira que cada uma fosse a sequência lógica e natural da frase anterior e a preparação para os termos e conceitos da frase seguinte. A leitura, portanto, deve ser tão encadeada e natural quanto a própria sequência das frases. De nada adianta, portanto, traduzir uma frase de maneira tão independente das demais que se torne difícil entender o vínculo linear que as une.

A maior parte das outras falhas de tradução resultou da tentativa de entender conceitos filosóficos indianos utilizando as interpretações ocidentais como referência. Apenas como exemplo, a tradução de "viparyaya", que significa apenas "inventividade", por "conhecimento errôneo", "falso", "perverso", "incorreto", e tantos outros adjetivos que foram utilizados em quase todas as traduções, é, sem qualquer dúvida, um erro grosseiro de avaliação do verdadeiro significado do termo. Não é concebível que uma manifestação natural do núcleo da mente humana possa ser encarada como um princípio defectivo por definição. Nem a frase original em sânscrito diz isso, por certo, embora utilize uma terminologia que pode dar alguma margem a essa interpretação equivocada.

Para escapar das armadilhas habituais das traduções de textos dessa natureza, devemos partir do geral para o particular, e não o inverso. Neste trabalho, optamos por buscar a compreensão dos temas gerais abordados no texto em cada um de seus quatro capítulos, traçando um plano geral da obra e descendo gradualmente aos detalhes, até que cheguemos à elucidação de cada termo duvidoso, frase a frase. A ideia subjacente ao conjunto sempre prevalece sobre eventuais ambiguidades dos detalhes.

Para permitir ao leitor acompanhar esse mesmo procedimento – e, portanto, extrair melhor proveito da leitura –, reunimos alguns dos comentários que consideramos importantes para elucidar o texto nos capítulos que apresentamos a seguir. Desse modo, ao iniciar a leitura do texto, o estudante já terá alguma noção do que encontrará em cada capítulo. Comentários muito breves acompanham ainda o corpo traduzido dos

Sutras, juntamente com notas e observações em pontos críticos da leitura.

Ao final, o texto é reproduzido literalmente, grafado em sânscrito (no alfabeto original – o devanagari – e no alfabeto de transliteração adotado internacionalmente para o sânscrito, o IAST) e também traduzido para o português. Essa reprodução do original serve aos estudantes da língua, bem como aos críticos, estudantes de Yoga e curiosos, que queiram ter uma visão panorâmica da correspondência dos termos. O que você, leitor, poderá seguramente extrair da leitura, seja qual for a motivação que o trouxe até este texto, é que o entendimento dos Sutras é bastante fácil e exige apenas um mínimo de dedicação. As dificuldades somente aparecem quando decidimos converter essas doutrinas em uma realização prática. Este foi o grande desafio apresentado pelo sábio Patanjali.

O plano da obra

Os Sutras do Yoga têm por objetivo dar ao estudante uma noção precisa do que é o Yoga e de que maneira se deve praticá-lo. Não se trata de um manual prático, no sentido de que não são ensinadas as posturas ou os exercícios respiratórios que caracterizam o Yoga Postural Moderno, nem são dadas informações sobre o local ideal para as práticas, as datas e os horários propícios, a duração, a extensão das atividades, nem tantos outros detalhes que muitos estudantes talvez gostassem de conhecer. Para esse tipo de informação, há outras obras clássicas de Yoga que podem ser consultadas, como a *Gheranda Samhita* e a *Hatha-Yoga Pradipika*.

Este corpo resumido de doutrina filosófica trata apenas de esclarecer o modo de lidar com certo mecanismo subjetivo de nossa mente que pode nos ajudar a viver nossa própria vida com coerência. Entretanto, esse mesmo mecanismo pode também se tornar um obstáculo à nossa felicidade, por nos conduzir para uma vida orientada por estímulos externos e regrada pela falta de sabedoria. Para afastar esse perigo, o autor propõe um método, organizado em torno da meditação, que fortalece nosso discernimento e isola nossa percepção de quaisquer perturbações externas.

Os Sutras do Yoga estendem-se ao longo de 196 frases distribuídas em quatro capítulos. Eles estão dispostos sequencialmente, de modo a traçar um roteiro de fácil memorização, abrangendo todos os pontos essenciais do sistema. O primeiro capítulo trata do Samadhi, esclarece seu significado e descreve o modo de assentar a mente, de forma a alcançar essa condição interna. O segundo capítulo mostra como identificar uma mente perturbada (inapta para o Yoga) e traça um método para eliminar as perturbações e conduzir a mente para um modo de funcionamento pautado pela intuição (prajna). Ali, são apresentados os famosos oito componentes do Yoga: Yama, Niyama, Asanas, Pranayama, Pratyahara, Dharana, Dhyana e Samadhi.

Os três últimos componentes do Yoga, que constituem a meditação do Yoga (Samyama), são descritos no início do terceiro capítulo e tratam essencialmente da transformação da mente pela prática da meditação e dos resultados que se pode obter com ela. No fim desse capítulo, há uma reflexão sobre o

"**Aforismo**, s.m. Sentença breve e conceituosa; máxima; provérbio. (Do gr. aphorismos)". In: *Dicionário Brasileiro da Língua Portuguesa.*

Muitos estudiosos chamam os Sutras de "Aforismos de Patanjali". No entanto, o aforismo é uma sentença que resume um ensinamento por si mesma, sem a necessidade do apoio de outras sentenças.

O caráter encadeado dos Sutras, porém, que torna cada nova frase totalmente dependente das anteriores, afasta a possibilidade de atribuirmos um caráter aforismático a este texto doutrinário do Yoga.

discernimento que permite distinguir entre o essencial e o espiritual. O último capítulo começa com a surpreendente afirmação de que temos muitos núcleos na mente e trata de focar o esforço do yogui no único núcleo que pode realizar o Yoga em nós, e que se torna a porta que leva ao isolamento da percepção, objetivo final do Yoga.

No início do texto, a preocupação do autor é com o estabelecimento do escopo do seu trabalho. As três primeiras frases do texto dão conta da natureza dos Sutras e da natureza do Yoga.

A primeira delas diz: "Aqui estão os postulados mais elevados do Yoga". Os termos utilizados são enfáticos. As palavras são: atha, que é o termo de abertura de boa parte dos tratados indianos, que pode ser traduzida como uma apresentação do tipo "Aqui estão" ou "Eis aqui"; e yoganusasana, um composto nominal. Nesse composto, aparece a palavra anusasana, formada pelo prefixo "anu", que significa elevado, proeminente, máximo, e pela palavra sasana, um ensinamento imposto, ou seja, um postulado. A raiz é "sas", que significa açoitar, castigar.

Patanjali deixa bem claro, nesta frase de abertura, que não está apresentando um texto aberto a sugestões. Quem deseja estudar o Yoga deve aceitar o conteúdo dos Sutras tal como é apresentado, sem alterações. O Sutra é um tipo de texto que, habitualmente, surgia no fim de longos períodos de debates, durante os quais as ideias tratadas amadureciam no calor de acirradas disputas verbais. Quando o consenso se formava e o sistema filosófico resultante parecia consistente, algum dentre os melhores praticantes do sistema era convidado para elaborar os Sutras que o perpetuariam. Daí o zelo em relação ao seu questionamento. Um debate de séculos entre indivíduos que orientavam sua vida pelos preceitos que apregoavam, como sempre fazem os sábios iniciados, não poderia ser reaberto, sem mais nem menos, por um iniciante qualquer...

A figura do Sri Yantra pode ser utilizada como um diagrama para visualizar o movimento de expansão das vrttis de citta em direção aos quatro aspectos limitadores do mundo material: a matéria, a forma, a mutabilidade e o tempo.

Depois de deixar bem claro que os Sutras devem ser preservados da forma que estão, o autor entra no assunto definindo com brevidade o que é o Yoga.

योगश्चित्तवृत्तिनिरोधः ॥ २ ॥

yogaścittavṛttinirodhaḥ ||2||

É aqui que começam as disputas entre os tradutores. São apenas quatro palavras sânscritas que precisam ser adequadamente compreendidas para que tenhamos uma definição precisa do que é o que se identifica pelo nome de Yoga. Embora a leitura dos Sutras seja o caminho natural para encontrar seu significado, vamos passar, agora, de forma abreviada, o sentido geral de que elas estão investidas nesta obra.

Utilizando as palavras originais, a frase diz apenas: "O Yoga é o nirodha das vrttis de citta". Precisamos, portanto, buscar o significado de cada uma das três palavras utilizadas para descrever o Yoga. Começamos com nirodha, que se origina da raiz verbal rundh: impedir, reter, segurar, modificada pelo prefixo "ni", que indica um movimento para dentro. Nirodha é o recolhimento, o ato de trazer para dentro algo que se espalhou do lado de fora.

Aquilo que se espalhou "do lado de fora" e que precisa ser recolhido é designado pela palavra vrtti. O significado literal dessa palavra é o de um movimento circular de expansão ou avanço, como uma espiral – um desdobramento a partir de um ponto original (é também a palavra utilizada para o "rolar" das lágrimas). Uma palavra que temos em português derivada da mesma origem é "vórtice", com um significado bastante semelhante. O sentido usual do termo vrtti está vinculado à ideia de uma manifestação exterior, uma atividade. As vrttis seriam, portanto, as atividades da mente, que partem em direção ao mundo manifestado carregando as características daquele núcleo que as produziu.

A entidade central, cujas expressões manifestadas, ou vrttis, estariam sendo recolhidas com a prática do Yoga, é designada pela palavra citta. Derivada do verbo cint – pensar –, essa palavra remete a um aspecto muito peculiar da estrutura anímica do ser humano. Ela nomeia o centro perceptivo da mente humana. É a fonte da qual derivam todos os fenômenos da consciência. Citta é um eixo em torno do qual giram as atividades mentais do ser humano e que lhe dá as vrttis, suas ferramentas para a existência consciente e para a percepção de sua própria individualidade.

Citta é um termo que, na literatura sânscrita em geral, tem um sentido genérico de "mente", confundindo-se, muitas vezes, com manas (o aspecto da mente que estabelece contato com os objetos e constrói rapidamente todo tipo de relações entre eles) e buddhi (a inteligência perceptiva). Já na literatura específica do Yoga, citta eleva-se para além desses dois princípios e os abarca em seu escopo. Segundo Vijnana Bhikshu (comentador dos Sutras no século XVI), citta pode ser compreendido como outro nome para o antahkarana, que, de acordo com a Samkhya Karika (frase 33), é composto

"As ondas de pensamento que se levantam em citta são chamadas vrttis (literalmente: redemoinhos)."

Swami Vivekananda

O movimento de expansão espiralada das vrttis de citta poderia ser ilustrado, por exemplo, pelo triskelion celta ou pela própria svastika, que é um símbolo sagrado do Hinduísmo.

Citta é o mecanismo que integra nossa capacidade de perceber com a nossa capacidade de interpretar, à nossa maneira, aquilo que é percebido. Citta nos dá, portanto, o mapa com o qual nos localizamos no mundo – e que usamos como referência quando produzimos ações de qualquer espécie.

Entretanto, citta é um núcleo que pode ter seu funcionamento perturbado por interferências externas. Neste caso, faltará sabedoria em suas percepções e em seus atos.

Lastrear citta no coração, sede da intuição e do discernimento, é o caminho proposto pelo Yoga para assegurar um funcionamento não perturbado para o núcleo de nossa mente.

por buddhi, ahamkara (princípio de egoidade) e manas.

Citta nos dá um senso de identidade que se constrói na fronteira entre a consciência e o inconsciente. Às vezes, ele é associado à nossa capacidade de construir memórias ou de tecer fantasias em sonhos, mas estas são apenas partes de suas atividades (vrttis). Citta nos dá todas as características que diferenciam nossa existência daquela de um simples animal, entre as quais merece destaque no Hinduísmo a nossa capacidade de sentir ananda – uma espécie de felicidade espiritual. Esse sentimento é uma exclusividade humana, que percebemos como uma satisfação indescritível que experimentamos ao fruir uma obra de arte, ou ao realizar um trabalho que nos agrada e nos absorve inteiramente a atenção. Também sentimos ananda quando temos a percepção intuitiva do que é verdadeiro.

Podemos entender citta como o elo interno que estabelece a conexão entre "aquele que vê" e os meios de percepção, produzindo com suas atividades a dinâmica da percepção pura. Para o corpo e a mente, citta é "aquele que vê", mas para "aquele que vê", citta é apenas um objeto de percepção, por meio de cuja subjetividade o mundo externo se torna perceptível para o eu interno.

Citta projeta no mundo suas atividades perceptivas, as vrttis, e com elas dá origem à nossa existência individual e consciente. As vrttis, porém, animadas pela força projetiva que as originou, continuam a se espalhar pelo mundo com uma necessidade crescente de se associar aos objetos diferenciados que encontram. Cada objeto que seja capaz de apresentar alguma característica que sugira a presença da natureza essencial (sattva) de citta atrai essas projeções com uma força irresistível e as vrttis buscam se apropriar desses objetos como se a sua própria existência dependesse disso. Daí se originam os desejos, que, por uma deformação de orientação, afastam as vrttis de sua origem, que é a natureza essencial de citta.

A prática do Yoga promove justamente o reajuste das vrttis, ou seja, o seu recolhimento [nirodha] novamente em citta. Este é o significado literal da segunda frase dos Sutras de Patanjali.

A terceira frase conclui a descrição da natureza do Yoga, ao afirmar: "Então aquele que vê (drastr, o percebedor) se manifesta em sua natureza autêntica". Isso define com clareza o objetivo do Yoga, que é ajustar o praticante à sua própria natureza, dando a ele autenticidade e coerência. Assim, o yogui vive a sua própria vida, em lugar de viver a imitação da vida de outro.

O primeiro capítulo dos Sutras, em cujo início aparecem as três frases já citadas, chama-se "Capítulo do Samadhi". O Samadhi, cujo mecanismo é descrito neste capítulo, é definido por Patanjali no capítulo III, Sutra 3, como "tornar-se vazio de sua forma autêntica e semelhante à natureza do objeto", sugerindo que é um estado de percepção em que alcançamos uma perfeita isenção, de modo que não haja interferência de fatores externos nem internos em nossa apreensão mental. Nesse estado, somos capazes de alcançar o isolamento da percepção, que nos permite um vislumbre da verdade – que é o objetivo do Yoga (e assunto para o quarto capítulo dos Sutras).

Esse primeiro capítulo detalha, logo no seu início, o que são as vrttis, as atividades de citta projetadas no mundo manifestado, e esclarece que o recolhimento dessas vrttis é possível por meio de uma prática que depende de duas condições indispensáveis: disciplina e desapego. A seguir, Patanjali apresenta o sinal indicador do Samadhi, o samprajnata. É uma experiência vivida com o Samadhi, mas que é mais fácil de se perceber do que o próprio Samadhi. Por essa razão, pode ser utilizado como referência. Ele pode surgir de diversas maneiras, inclusive na forma da entrega do comando da mente para a natureza espiritual [purusa]. Essa natureza espiritual se apresenta para o indivíduo como "isvara", o Senhor, um referencial seguro da direção que se deve seguir.

Orientado pela entrega a esse referencial de "isvara" e pelo surgimento do saber manifesto em nossa vocação, e dedicado a manter o desapego e a disciplina como normas básicas de seu comportamento, o praticante de Yoga torna-se capaz de assentar sua mente em um patamar superior de estabilidade, que se resolve no Samadhi. Para alcançar o Samadhi, o autor diz que podemos fazer uma aproximação gradual, por um caminho no qual são construídas mentalmente as condições adequadas para o assentamento da mente no Samadhi, que então é chamado "com semente". No entanto, há também o Samadhi sem semente, que se obtém de forma imediata, quando o praticante aprende a identificar aquelas condições ideais e a reproduzi-las sem a necessidade de um esforço mental consciente.

Concluído o primeiro capítulo, o autor passa a descrever os meios para remover as perturbações da mente e enuncia um elaborado método, distribuído em oito componentes – mas que

Quando temos uma facilidade natural para executar determinadas tarefas, ou seja, quando manifestamos uma vocação, estamos dando curso a essa experiência espontânea e intensa do samprajnata.

O Samadhi "com semente" é alcançado pela via intelectual e vai sendo construído de forma gradual e vegetativa, como uma armadilha na qual, no fim, é aprisionado o próprio intelecto, ficando a mente livre para entregar-se a uma meditação espiritual.

Os instrutores indianos costumam descrever svadhyaya como sendo o estudo sistemático dos Vedas, os textos que trazem a revelação original no Hinduísmo.

se resume ao fortalecimento do discernimento e à independência em relação a quaisquer influências externas à natureza espiritual do yogui. Este segundo capítulo recebe o nome de "Sadhana" (implementação ou demonstração). Tudo o que é descrito nele é uma visão prática do que foi examinado conceitualmente no primeiro capítulo. O objetivo é indicar para o praticante o que ele deve fazer para avançar em direção ao isolamento da percepção.

Patanjali apresenta, inicialmente, um conjunto de práticas envolvidas no caminho para o Samadhi, chamado de Kriya Yoga ("o ajustamento da ação"). A primeira frase desse capítulo (Sutra II, 1) descreve o Kriya Yoga como a combinação de sacrifício (tapas), busca do saber interior (svadhyaya) e entrega ao Senhor interno (isvarapranidhana). Longe do sentido negativo que tinge a palavra "sacrifício" entre os ocidentais, "tapas" é o conjunto de práticas que reorientam a atenção do praticante de Yoga para uma vida pautada pelo desapego e exercício de sua própria natureza. O tapas afasta-nos de tudo que não é condizente com a nossa vida ideal. A busca do saber interior, que é como um estudo de si mesmo, revela-se pelo surgimento do conhecimento intuitivo e pela manifestação dos sinais do Samadhi, ou seja, pela percepção do samprajnata. E a entrega ao Senhor interno é a entrega do comando ao aspecto intuitivo de nossa personalidade.

A segunda frase (Sutra II, 2) afirma que a finalidade do Kriya Yoga é a de produzir o Samadhi e atenuar as perturbações (Klesas) que dificultam o acesso à nossa verdadeira natureza por meio de citta. E a terceira frase (Sutra II, 3) enumera essas perturbações: falta de sabedoria, egoidade (asmita), desejo, aversão e desejo de pertencimento. Daí para a frente, esse capítulo trata de enunciar um método para eliminar essas perturbações, pelo fortalecimento do discernimento. Isso é feito pela alteração dos vínculos que unem o observador ao objeto observado, quando se substitui uma relação impura com os objetos por uma relação imaculada, na qual o praticante procura identificar o princípio de individualidade espiritual (atma) nos objetos sobre os quais ele realiza a meditação.

Os oito componentes do Yoga são apresentados como destruidores das impurezas que bloqueiam o brilho do conhecimento (vivencial) decorrente da afirmação do discernimento (Sutra II, 28). Os componentes do Yoga são: Yama (normas de convivência); Niyama (normas de aperfeiçoamento

"Tapas" é uma palavra originada do verbo "tap", que significa "queimar". Tem, ao mesmo tempo, o sentido da purificação pelo fogo e o do sofrimento causado pela queimadura. É mesmo doloroso, em certa medida, lutar com as resistências naturais que alimentamos contra mudanças muito grandes.

pessoal); Asana (assentamento); Pranayama (controle ou suspensão do movimento); Pratyahara (recolhimento dos sentidos); Dharana (construção do foco); Dhyana (concentração em um objeto) e Samadhi (estado em que a percepção não sofre interferências externas ou internas). Desses componentes do Yoga, o segundo capítulo explica resumidamente apenas os cinco primeiros.

O terceiro capítulo trata das três transformações pelas quais citta passa, pela prática da meditação, e dos resultados espontâneos dessa prática. Por essa razão é chamado de Capítulo dos Resultados.

A meditação (Samyama) é apresentada como a combinação dos três componentes mais internos do Yoga: Dharana, Dhyana e Samadhi. A persistência na prática da meditação realizada sobre variados objetos produz os diversos resultados (as siddhis) enumerados neste terceiro capítulo. As siddhis são tomadas como indicadoras de progresso pelos mestres da prática do Yoga, que, de maneira alguma, se empolgam com esse tipo de resultado. O apego às siddhis é tão pernicioso para o desenvolvimento do yogui, senão mais, quanto o apego aos prazeres inferiores. Para o autêntico yogui, que busca o retorno à pureza espiritual, esses resultados somente são aceitáveis, se representarem o fortalecimento das qualidades essenciais (sattva) de sua personalidade, de forma a reproduzir e afirmar sua natureza autêntica. Na última frase deste terceiro capítulo (Sutra III, 56) diz-se que da coincidência da pureza de sattva e de purusa surge o kaivalya – o isolamento da percepção, este, sim, a meta final do Yoga.

O quarto capítulo dos Sutras do Yoga é exatamente o "Capítulo do Kaivalyam". É também o mais curto dos quatro, com apenas trinta e quatro Sutras. Ele começa com a afirmação de que temos muitos núcleos (cittas) na mente, e que os pensamentos produzidos por esses núcleos são, em sua maior parte, apenas vasanas (pensamentos torpes). Há apenas um citta que tem a capacidade de recolher suas atividades e viabilizar o Yoga. Este único citta carrega nossa natureza autêntica como característica de suas atividades perceptivas, razão pela qual ele não é afetado por interferências externas – tampouco produz vasanas. Ele é o único citta, entre muitos presentes em nossa mente, que tem capacidade de nos conduzir ao sucesso no Yoga, se formos capazes de colocá-lo no comando de nossa atenção e de nossas ações.

Por essa razão, Patanjali esforça-se por dar indicações sobre como lidar

O yogui pode alcançar o Kaivalyam e permanecer vivo em seu corpo por muitos anos ainda. Não há qualquer incompatibilidade entre a vida corporal e a espiritualidade, desde que a mente e o corpo estejam receptivos à interferência das forças espirituais.

com a multiplicidade e identificar esse citta especial, que, assentado em nosso coração, remove as impurezas que ocultam nosso brilho espiritual. Como citta é plástico em suas atividades, e pode assumir o formato de tudo aquilo a que empresta sua atenção, o yogui é orientado a fortalecer seu discernimento e não se envolver com fantasias criadas por outros cittas.

Por fim, se o yogui for capaz de vencer até mesmo as tendências dos hábitos mentais, que insistem em trazer para sua mente alguns pensamentos torpes, ele ultrapassa o limite de alcance das forças materiais e se ilumina. Isolado de toda a turbulência ilusória do mundo manifestado, o iluminado yogui torna-se a mais pura fonte de sabedoria, enquanto repousa serenamente no seio do absoluto.

Quem foi Patanjali?

Muito pouco se sabe sobre a vida e a obra de Patanjali. Existem três obras que são assinadas por esse nome, mas elas podem ter sido criadas por autores distintos – ainda que homônimos. Uma das obras é um tratado de Medicina, outra é um comentário sobre a gramática sânscrita de Panini, e a terceira trata dos Sutras do Yoga. A poesia popular, no entanto, estabeleceu para ele uma biografia mítica que reproduzimos a seguir. Há variações dessa lenda, mas o núcleo da história permanece sempre igual.

Uma yoguini chamada Gonika, que vivia no noroeste da Índia antiga (território hoje pertencente ao Afeganistão), era uma grande mestra do Yoga. Seu maior desejo era transmitir sua sabedoria para um filho, mas não havia se casado e estava muito idosa para sonhar em ter um marido. Todos os dias, ela elevava preces aos deuses pedindo por um filho para que se cumprisse seu papel na vida.

Enquanto isso, nos céus, o deus serpente, que encarna o infinito, chamado Ananta, o mesmo que serve de apoio para o deus Narayana, meditava sobre seu imenso poder, mas, em certo momento, sentiu-se incapaz de sustentar o peso de Narayana, enquanto este assistia à dança mística de Shiva Nataraja. Narayana explicou a Ananta que se tornara mais poderoso e mais difícil de se carregar em razão de estar praticando Yoga naquele momento. Ananta ficou impressionado, mas também ficou triste por jamais ter encontrado um mestre que lhe ministrasse os segredos do Yoga. A partir de então, Ananta ansiou por nascer como ser humano, para desfrutar da felicidade de ser iniciado no Yoga.

Compadecido do sofrimento de Ananta e de Gonika, o grande deus Brahma extraiu uma centelha de Ananta, com o formato de uma serpente de fogo, que caiu do céu diretamente dentro das mãos de Gonika, convertendo-se instantaneamente em um belo rapaz que se prostrou aos pés da velha senhora, pedindo por sua iniciação.

Gonika deu a ele o nome Patanjali, porque o verbo "pat" significa cair, como ele havia caído do céu. E "anjali" é o nome do gesto em que as mãos juntas em concha acompanham as preces, representando a súplica humilde, como ela mesma as tinha para receber o miraculoso filho.

A iconografia representa Patanjali com a metade inferior do corpo em formato de serpente enrolada com três voltas e dotado de quatro braços, dos quais dois estão com as mãos juntas no gesto "anjali" e as outras duas mãos seguram uma concha (mão esquerda) e um disco (o chakram – na mão direita). Acima de sua cabeça, e saindo de sua coluna vertebral, uma serpente de sete cabeças posiciona-se como um dossel protetor.

Variações dessa história apresentam o famoso gramático Panini (cuja obra definiu o que se conhece como sânscrito clássico) como sendo o seu pai terrestre, talvez para conciliar a imagem do yogui com a do gramático de mesmo nome (Patanjali) que, muito provavelmente, eram a mesma pessoa.

Patanjali já foi muito reverenciado, mas, hoje, está meio esquecido no sul da Índia, onde se acredita que passou a maior parte de sua vida.

Os Sutras e a Inteligência Corporal

Qual é o astro que melhor representa o espírito, o Sol ou a Lua?

Muito provavelmente, um ocidental praticante de Yoga responderá que o Sol é o astro que simboliza o espírito e a vida superior. É o brilho da consciência e da sabedoria, destruidor das sombras da ignorância e do mal. Uma infinidade de razões levaria esse hipotético yogui do Ocidente a sustentar sua opinião sobre a figura emblemática do espírito retratada pela sua maneira de entender a simbologia indiana.

A resposta está errada, ao menos do ponto de vista da filosofia do Yoga. Nossa dificuldade para perceber a sutileza dessas figuras míticas decorre do fato de nos fixarmos excessivamente na opinião de que a consciência é o destino e a razão final do espírito. Imaginamos uma transformação de estados de consciência e concebemos uma evolução para esferas cada vez mais elevadas de consciência, como se esse fosse o caminho natural em direção ao despertar espiritual. O Sol, como símbolo milenar dos fenômenos da consciência, assumiria, portanto, o lugar mais elevado em um panteão mítico baseado na superioridade da consciência.

A consciência, porém, é um estado inferior e temporário de nossa alma. É apenas um conjunto de processos naturais que nos permite elaborar uma representação mental do mundo e dos objetos ao nosso redor. A consciência é a condição indispensável para que possamos estabelecer alguma relação de troca com o mundo em que vivemos, pois todo o contato que podemos estabelecer com ele somente pode ser realizado por meio dos mesmos processos naturais que originam o fenômeno da consciência. Apesar de sua importância para o engrandecimento de nossa vida espiritual, a consciência é, normalmente, um sério obstáculo ao despertar da própria espiritualidade.

Somos guiados por forças inconscientes em todos os instantes de nossa vida. Repare como são raros os momentos em que podemos desfrutar da plenitude da consciência. E, mesmo nesses curtos períodos de consciência, estamos sujeitos a todo tipo de trapaças da percepção, como miragens, ruídos de comunicação e falhas de interpretação dos sinais e estímulos que nos atingem.

É claro que o astro que melhor representa a presença do espírito em

O Cristianismo, bem como outros tantos cultos e filosofias centrados no mito solar, surgiu a partir da perseguição às Escolas de Mistérios e se firmou graças ao total desaparecimento delas para o mundo profano. Isso ocorreu principalmente durante um período de cerca de seis séculos em torno do ano zero da Era Cristã.

Antes desse fenômeno histórico, os mitos lunares acompanhavam os rituais e os princípios filosóficos da vida espiritual de várias civilizações. Restava aos mitos solares apenas inspirar as ciências mundanas e o que tivesse relação com o mundo limitado das formas.

nossa vida, dentro da perspectiva do Yoga, é a Lua. A mesma Lua que representa a natureza do corpo material. A filosofia do Yoga é parte de uma cultura tipicamente lunar. Em decorrência disso, o Yoga apresenta o espírito dotado de uma natureza imutável e inconsciente, condições que muito relutamos em associar ao lado mais elevado de nossa vida interior.

O patrono do Yoga é o deus Shiva, que ostenta a Lua crescente como adorno sobre a sua testa. E o abandono da consciência como referencial para nossas deliberações é uma necessidade para o despertar da verdadeira sabedoria do yogui.

A visão que o yogui desenvolve acerca da estrutura do ser humano é bastante diferente do que tem sido apresentado pela própria literatura recente do Yoga. A maneira confusa e obscura como enxergamos o funcionamento das práticas de Yoga deixa ampla margem para dúvidas que raramente são respondidas pelos instrutores dessa disciplina. Dúvidas tão fundamentais, como as seguintes: "A prática de Yoga é espiritual, mental ou corporal?". "Devo permanecer totalmente consciente durante uma meditação?" "Como posso saber se estou progredindo nas minhas práticas?". Ou ainda: "A prática do Yoga vai me colocar em um estágio evolutivo superior em relação ao resto da humanidade?".

Para que essas dúvidas não ocupem desnecessariamente a atenção do estudante, apresentamos um modelo compreensivo da estrutura humana que serve para entender melhor a lógica do pensamento do sistema filosófico do Yoga. Trata-se de uma representação do funcionamento da inteligência humana.

A inteligência, desde a mais remota antiguidade, é concebida de duas formas distintas: como a faculdade do entendimento das ideias (a "dianoia" dos gregos); e como destreza ou habilidade corporal ou verbal (a "sophia"). As duas funcionam de maneiras tão distintas, que chegam a ser incompatíveis, pois a manifestação de uma delas depende da obliteração da outra. O intelecto e a sabedoria têm atuações mutuamente excludentes, sendo a última totalmente comprometida com a ação imediata, enquanto o intelecto dispensa qualquer compromisso com a realidade prática.

O intelecto nos dá os instrumentos para operar sobre o modelo representativo do mundo. Constrói os passos de sua atividade com os instrumentos da razão e da lógica e precisa de referências externas entre as quais possa estabelecer relacionamentos. A Ciência é um exemplo natural dessa modalidade de inteligência.

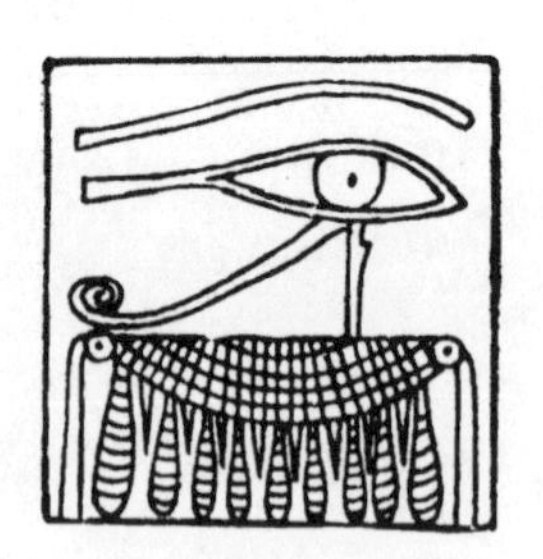

Utchat, o espírito, olho de Hórus, é o equivalente egípcio aproximado de citta. Hórus é aquele que vê por meio do Utchat. O atma é aquele que vê através de citta.

Na celebração dos mistérios egípcios, Osíris, o Sol, representado pelo neófito, é sacrificado simbolicamente, para que possa surgir a verdadeira sabedoria pelas mãos de Ísis, sua amada.

Todo o processo se faz na escuridão, para inibir a ação da consciência.

Os egípcios também colocavam o Sol em segundo plano, em suas concepções esotéricas sobre a ordem cósmica.

A sabedoria, por outro lado, nos dá o impulso para uma ação direta sobre o ambiente, incluindo aí a própria representação que temos desse mesmo ambiente e prescinde de quaisquer referências externas. Brota de nosso íntimo como um impulso irracional e espontâneo, uma pulsão para agir de uma determinada maneira, sem qualquer razão aparente. Causa satisfação quando se expressa e um profundo mal-estar quando é reprimida. As artes são exemplos típicos dessa modalidade de inteligência.

Para o yogui, há dentro de nós dois eixos paralelos de atividade mental. Um eixo Lunar, de sabedoria, que une nosso corpo diretamente ao núcleo espiritual (por meio de citta), que nos dá sustentação como indivíduos. E um eixo Solar, que une nosso centro emocional à nossa razão e que dá sustentação à nossa consciência. Esses dois eixos sustentam as duas modalidades de inteligência que orientam a atenção de nossa mente, ora para a busca do entendimento, ora para a busca da realização. O perfeito equilíbrio entre as forças que são acionadas por esses dois eixos da atividade mental desperta o que chamaríamos de inteligência corporal – ou seja, a corporificação da inteligência cósmica ou divina.

O eixo Solar desenvolve-se intensamente durante nossa infância e adolescência, quando adquirimos consciência e uma identidade coletiva para mostrar ao mundo. Suas lentas transformações, estimuladas pelo intercâmbio que estabelecemos com outras pessoas, deveriam induzir o desenvolvimento do eixo Lunar, que promove a integração de nossa vida material à nossa natureza espiritual. Isso, no entanto, não está ocorrendo a contento no estágio atual da evolução humana. Paramos na fase da adolescência e resistimos aos impulsos interiores para a concretização de nosso caráter espiritual. Ficamos girando em círculos intermináveis de argumentos baseados em nossa percepção consciente do mundo.

Os dois eixos, que deveriam operar de maneira cooperativa, competem entre si em busca da nossa atenção, o que acaba por impedir a conclusão do processo que nos levaria àquilo que chamamos de iluminação espiritual. Uma linha de conexão (que o indiano chama de antahkarana – agente interno, ou citta) deveria se consolidar entre o centro espiritual (isvara, que tem sua sede no coração) e o corpo, trazendo para nossa vida um intenso fluxo de sabedoria e santificando o nosso corpo, como um verdadeiro batismo. Dessa maneira, nossa verdadeira identidade espiritual encontraria um perfeito veículo

A sabedoria tem sido representada em muitos mitos antigos na forma de um animal de hábitos noturnos, como a tradicional coruja, o cão, o lobo ou o leão. Cabe destacar a representação da sabedoria dos mistérios pela imagem do unicórnio, que, com seu chifre único e retorcido (símbolo das forças criadoras do akasha) e sua cor branca relacionada à luz da lua, faz a perfeita reprodução das características do conhecimento intuitivo. O mito do unicórnio tem sua origem na Índia, na forma de um antílope com um único chifre.

O Yoga é, em certo sentido, um fenômeno contagiante. A presença de um yogui realizado produz uma forte impressão nas outras pessoas – que são tocadas pela tranquilidade de sua conduta. A atividade do Yoga dá ao praticante uma qualidade de vida superior, pelo simples fato de eliminar a falta de sabedoria. O Yoga nos conduz para uma vida natural, espontânea, sem as tensões e o estresse que tantos males acarretam para o nosso corpo.

material para sua manifestação – condição que talvez possa ser recuperada pela humanidade futura.

Contudo, se as forças transformadoras da evolução das formas (parinama) ainda não nos colocam nessa condição iluminada, o que nos resta é tentar complementar com esforço individual o nosso próprio ciclo de amadurecimento. Por meio de práticas especiais, podemos alcançar estágios ideais da humanidade e nos transformar em indutores de processos semelhantes em tantos outros indivíduos que compartilham das mesmas aspirações espirituais que nós. O Yoga é uma prática que permite realizar, agora, os avanços que imaginamos para a Humanidade em um futuro ainda distante.

A prática correta do Yoga produz em nossa mente o surgimento da inteligência corporal e transforma a nossa vida material em uma metáfora da própria criação e dos desígnios do universo. Com isso, extingue-se a possibilidade do erro, da dor e da impermanência nas atividades de nossa mente. A iluminação de nossa consciência pela realização do Yoga nos traz para perto de nossa fonte espiritual e nos faz sentir a perfeita integração interna com Deus, com a Humanidade e com todas as forças da Natureza.

पातञ्जल योगसूत्राणि

Capítulo I

Samadhi

॥ समाधिपादः ॥
||samādhipādaḥ||

अथ योगानुशासनम् ॥ १ ॥
atha yogānuśāsanam ||1||

योगश्चित्तवृत्तिनिरोधः ॥ २ ॥
yogaścittavṛttinirodhaḥ ||2||

तदा द्रष्टुः स्वरूपेऽवस्थानम् ॥ ३ ॥
draṣṭuḥ svarūpe'vasthānam ||3||

वृत्तिसारूप्यम् इतरत्र ॥ ४ ॥
vṛttisārūpyam itaratra ||4||

वृत्तयः पञ्चतय्यः क्लिष्टा अक्लिष्टाः ॥ ५ ॥
vṛttayaḥ pañcatayyaḥ kliṣṭā akliṣṭāḥ ||5||

प्रमाणविपर्ययविकल्पनिद्रास्मृतयः ॥ ६ ॥
pramāṇaviparyayavikalpanidrāsmṛtayaḥ ||6||

प्रत्यक्षानुमानागमाः प्रमाणानि ॥ ७ ॥
pratyakṣānumānāgamāḥ pramāṇāni ||7||

विपर्ययो मिथ्याज्ञानम् अतद्रूपप्रतिष्ठम् ॥ ८ ॥
viparyayo mithyājñānam atadrūpapratiṣṭham ||8||

Samadhi

Sutra I, 2 Vrttis, que chamamos aqui de "atividades", podem ser descritos como os desdobramentos materiais ou meios de expressão de citta. Quando estão vinculados ao mundo manifestado, criam a consciência e a ilusão de separatividade, trazendo-nos a ideia de que observador e objeto observado são entidades distintas. Quando são "recolhidos" levam a consciência à percepção de atma (o si mesmo) nos objetos observados, o que elimina qualquer possibilidade de separatividade, destruindo, desta forma, a raiz de todo o sofrimento.

Sutra I, 8 Embora a quase totalidade das traduções prefiram entender viparyaya como "engano", "conhecimento errôneo" ou algo no gênero, preferimos uma abordagem diversa. Nenhuma atividade de citta, considerado este como o aspecto mais central da mente humana, poderia representar necessariamente uma prática de erro ou engano, exceto quando manifestado sob condições adversas.

1. Eis os postulados mais elevados do Yoga.

2. O Yoga é o recolhimento [*nirodha*] das atividades [*vrttis*] da mente [*citta*].

3. Então, "aquele que vê" [*drastr, o percebedor*] se manifesta em sua natureza autêntica.

4. Nesta outra [condição, está] perfeitamente adequada a essas atividades mentais [*vrttis*].

5. As atividades mentais formam um conjunto de cinco, tanto na condição perturbada quanto na não perturbada [*veja o Sutra 3 do capítulo 2, que trata das perturbações (klesas)*].

6. [As atividades da mente (*citta*) são chamadas]: evidência [*pramana*], inventividade [*viparyaya*], imaginação [*vikalpa*], sono [*nidra*] e memória [*smrti*].

7. As evidências [*pramana*] são a percepção direta (física), a inferência (mental) e o testemunho.

8. Inventividade [*viparyaya*] é um conhecimento derivativo que leva a formas que não são aquela [que originou o conhecimento].

शब्दज्ञानानुपाती वस्तुशून्यो विकल्पः ॥ ९ ॥

śabdajñānānupātī vastuśūnyo vikalpaḥ ||9||

अभावप्रत्ययालम्बना वृत्तिर्निद्रा ॥ १० ॥

abhāvapratyayālambanā vṛttirnidrā ||10||

अनुभूतविषयासंप्रमोषः स्मृतिः ॥ ११ ॥

anubhūtaviṣayāsampramoṣaḥ smṛtiḥ ||11||

अभ्यासवैराग्याभ्यां तन्निरोधः ॥ १२ ॥

abhyāsavairāgyābhyāṁ tannirodhaḥ ||12||

तत्र स्थितौ यत्नोऽभ्यासः ॥ १३ ॥

tatra sthitau yatno'bhyāsaḥ ||13||

स तु दीर्घकालनैरन्तर्यसत्कारासेवितो दृढभूमिः ॥ १४ ॥

sa tu dīrghakālanairantaryasatkārāsevito dṛḍhabhūmiḥ ||14||

दृष्टानुश्रविकविषयवितृष्णस्य वशीकारसंज्ञा वैराग्यम् ॥ १५ ॥

dṛṣṭānuśravikaviñayavitṛṣṇasya vaśīkārasañjñā vairāgyam ||15||

9. Imaginação [*vikalpa*] é o resultado do conhecimento adquirido pela palavra, desprovido de existência real [*é interessante notar que a imaginação aqui tem um poder de criação semelhante àquele que lhe atribuíam os alquimistas ocidentais. É o poder do verbo criador, razão pela qual o autor utiliza o termo sabda (palavra), a força mobilizada pela deusa Sarasvati – conforme narrado na anugeita.*]

10. O sono [*nidra*] é uma atividade sustentada pela experiência de não existir.

11. A memória [*smrti*] é a retenção (*não perda*) do objeto percebido.

12. Seu recolhimento (ou seja, o nirodha dessas cinco atividades) advém da disciplina e do desapego. [*Estas são, de fato, as duas "pernas" do Yoga.*]

13. A disciplina é o esforço em permanecer nele [nesse recolhimento].

14. Ele [o recolhimento], então, praticado assiduamente com atenção e continuidade por um longo tempo, torna-se uma condição consolidada.

15. O desapego é o sinal da vontade perfeita daquele que está indiferente aos objetos já vistos ou dos quais se ouviu falar.

SUTRA I, 10 *A raiz sânscrita drai, de onde vem a palavra para sono, traz consigo um sentido que envolve o conceito de ausência, inconsciência, adequado à comparação com a não existência. Tem a semelhança do sono da morte, ou da profunda transformação na aparência exterior de um yogui em meditação, que parece ausente do seu próprio corpo. Patanjali não faz referência ao sono como o estado de consciência alterado em que ainda temos algum tipo de percepção, sonho etc.*

Para este último, ele teria utilizado o termo svapna, que o define precisamente (como faz em I, 38 com "svapnanidra"). O uso de "nidra" para uma atividade de citta indica uma situação em que o indivíduo produz, voluntariamente, a condição de não existência, seja durante a meditação, ao se abstrair totalmente da personalidade para mergulhar na unidade absoluta, seja no caso em que deixa de representar o papel de sua própria personalidade para tornar-se uma outra, que pode ser conceitual – como o juiz encarnando as leis – ou imaginária – como o ator representando uma personagem de ficção.

तत्परं पुरुषख्यातेर्गुणवैतृष्ण्यम् ॥ १६ ॥

tatparaṁ puruṣakhyāterguṇavaitṛṣṇyam ||16||

वितर्कविचारानन्दास्मितारूपानुगमात् संप्रज्ञातः ॥ १७ ॥

vitarkavicārānandāsmitārūpānugamāt samprajñātaḥ ||17||

विरामप्रत्ययाभ्यासपूर्वः संस्कारशेषोऽन्यः ॥ १८ ॥

virāmapratyayābhyāsapūrvaḥ saṁskāraśeṣo'nyaḥ ||18||

भवप्रत्ययो विदेहप्रकृतिलयानाम् ॥ १९ ॥

bhavapratyayo videhaprakṛtilayānām ||19||

श्रद्धावीर्यस्मृतिसमाधिप्रज्ञापूर्वक इतरेषाम् ॥ २० ॥

śraddhāvīryasmṛtisamādhiprajñāpūrvaka itareṣām ||20||

तीव्रसंवेगानाम् आसन्नः ॥ २१ ॥

tīvrasaṁvegānām āsannaḥ ||21||

मृदुमध्याधिमात्रत्वात् ततोऽपि विशेषः ॥ २२ ॥

mṛdumadhyādhimātratvāt tato'pi viśeṣaḥ ||22||

Sutras I, 17 a 23 Um importante sinal indicador do Samadhi, para Patanjali, é o samprajnata. É uma experiência vivida conjuntamente com o Samadhi, porém mais fácil de se perceber do que o Samadhi. Por essa razão, pode ser utilizado como referência.

O comentário de Vyasa aos Sutras 17 e 18 introduz uma grande confusão neste trecho, ao entender que a palavra samprajnata designa um tipo de Samadhi, e que haveria um outro tipo, chamado asamprajnata. Essa interpretação de Vyasa não tem fundamento no texto original de Patanjali, sendo apenas especulativa.

Muitos tradutores modernos dos Sutras acompanham a opinião de Vyasa.

16. Em decorrência disso, [o desapego] é a indiferença às qualidades materiais [*gunas*] das coisas nas quais o espírito [*purusa*] se revela.

17. Um conhecimento intenso [*samprajnata*] surge a partir de: suposição [*vitarka*], avaliação [*vicara*], sensação de realidade [*ananda*] e da percepção da própria individualidade [*asmita*] (*como uma existência separada de todas as outras*). [*A partir daqui, até o Sutra 22, o autor traça a origem desse conhecimento intuitivo com base em práticas intelectuais.*]

18. Outro [*samprajnata*] é resultante de hábitos mentais [*samskaras*] cultivados a partir da disciplina na experiência da "ausência".

19. É a certeza de continuar existindo daqueles que jazem incorpóreos na terra espiritual [*prakrti*].

20. O [*samprajnata*] de outros tem sua origem em uma percepção intuitiva [*prajna*] durante o estado de *Samadhi* retida pela memória [*smrti*], pela vontade [*virya* – firme disposição] e pela fé. [*São as reminiscências. Essas percepções obtidas durante o Samadhi se desvanecem tão logo a consciência retorna – tal como ocorre com os sonhos. Podem ser retidas, no entanto, por um esforço de memória, vontade e fé*].

21. [O *samprajnata*] está próximo [quando há] intensas inquietações.

22. Do fato de sua medida ser delicada, média ou intensa, daí justamente vem a diferença.

ईश्वरप्रणिधानाद् वा ॥ २३ ॥

īśvarapraṇidhānād vā ||23||

क्लेशकर्मविपाकाशयैरपरामृष्टः पुरुषविशेष ईश्वरः ॥ २४ ॥

kleśakarmavipākāśayairaparāmṛṣṭaḥ puruṣaviśeṣa īśvaraḥ ||24||

तत्र निरतिशयं सर्वज्ञत्वबीजम् ॥ २५ ॥

tatra niratiśayaṁ sarvajñtvabījam ||25||

स पूर्वेषाम्   अपि गुरुः कालेनानवच्छेदात् ॥ २६ ॥

sa eṣa pūrveṣām api guruḥ kālenānavacchedāt ||26||

तस्य वाचकः प्रणवः ॥ २७ ॥

tasya vācakaḥ praṇavaḥ ||27||

तज्जपस्तदर्थभावनम् ॥ २८ ॥

tajjapastadarthabhāvanam ||28||

ततः प्रत्यक्चेतनाधिगमोऽप्यन्तरायाभावश्च ॥ २९ ॥

tataḥ pratyakcetanādhigamo'pyantarāyābhāvaśca ||29||

Sutra I, 23 *A presença do termo isvara nos Sutras faz muita gente acreditar que o Yoga seja uma doutrina teísta. No entanto, isvara é uma designação para o "eu" que reside no coração de todas as criaturas, e não um deus objeto de devoção religiosa. A doutrina do Yoga não tem qualquer característica religiosa em sua estrutura.*

23. Ou [o *samprajnata* surge] da entrega ao comandante interior [*isvara*]. [*A partir deste Sutra, até o Sutra 29, estamos tratando da via inconsciente para a obtenção do estado de Samadhi*].

24. O isvara é um aspecto do purusa, e, portanto, não é afetado pelos repositórios dos resultados das ações. [*Os efeitos de nossos atos são armazenados em nosso organismo psíquico e afetam seu funcionamento. Isvara, porém, é de natureza espiritual (purusa) e não está sujeito às suas influências. – Veja-se, em relação a este Sutra, o conteúdo de II, 12.*]

25. Ali, [repousando] quase imperceptível, está a semente de todo conhecimento vivencial.

26. Ele é também este guru dos antigos, por não estar interrompida (cortada) a linha no tempo.

27. O *praṇava* (a sílaba mística "OM") é a sua expressão.

28. Sua recitação faz surgir o seu sentido (significação).

29. Disso vem a introversão da inteligência e a dissolução dos obstáculos. [*Veja II, 10 – as perturbações, quando a mente gravita em direção a citta (em atitude de recolhimento), desaparecem; da mesma forma, aqui, buscamos elevar nossa inteligência para uma esfera mais sutil de atuação, buscando o isvara como referencial. Por essa razão, os obstáculos se dissolvem.*]

व्याधिस्त्यानसंशयप्रमादालस्याविरतिभ्रान्तिदर्शनालब्ध-
भूमिकत्वानवस्थितत्वानि चित्तविक्षेपास्तेऽन्तरायाः ॥ ३० ॥
vyādhistyānasaṁśayapramādālasyāviratibhrāntidarśanālab
dhabhūmikatvānavasthitatvāni cittavikṣepāste'ntarāyāḥ ||30||

दुःखदौर्मनस्याङ्गमेजयत्वश्वासप्रश्वासा विक्षेपसहभुवः ॥ ३१ ॥
duḥkhadaurmanasyāṅgamejayatvaśvāsapraśvāsā
vikṣepasahabhuvaḥ ||31||

तत्प्रतिषेधार्थम् एकतत्त्वाभ्यासः ॥ ३२ ॥
tatpratiṣedhārtham ekatattvābhyāsaḥ ||32||

मैत्रीकरुणामुदितोपेक्षण सुखदुःखपुण्यापुण्यविषयाणां
भावनातश्चित्तप्रसादनम् ॥ ३३ ॥
maitrīkaruṇāmuditopekṣaṇāṁ sukhaduḥkhapuṇyāpuṇya
viṣayāṇāṁ bhāvanātaścittaprasādanam ||33||

प्रच्छर्दनविधारणाभ्यां वा प्राणस्य ॥ ३४ ॥
pracchardanavidhāraṇābhyāṁ vā prāṇasya ||34||

विषयवती वा प्रवृत्तिरुत्पन्ना मनसः स्थितिनिबन्धिनी ॥ ३५ ॥
viṣayavatī vā pravṛttirutpannā manasaḥ sthitinibandhinī ||35||

विशोका वा ज्योतिष्मती ॥ ३६ ॥
viśokā vā jyotiṣmatī ||36||

Sutra I, 31 *Inspiração e expiração, conforme aparecem nesse Sutra, representam a respiração ofegante, mas também as duas fases de movimento da respiração, consideradas inferiores às duas fases de repouso que há entre elas.*

Sutra I, 34 *Prana é sinônimo de atividade. Expulsar o prana é o mesmo que buscar um estado de repouso. Controlar o prana é a capacidade de controlar as forças do comportamento para que obedeçam à vocação interior.*

Sutra I, 34 *O prana é movimento, na mente como no corpo. Esse movimento se traduz como ação, expressa na linguagem pelos verbos. Há ações boas e ações ruins – o que é coerente com nossa natureza e o que não condiz com nossa natureza. É preciso reter dentro de nós as ações benignas e expulsar de nossa mente (e, portanto, de nosso corpo) as ações ruins. Nisso consiste o assunto deste Sutra. Só a mente assentada é capaz de fazer isso. A mente inquieta é arrastada pelo movimento do prana. Entretanto, quem controla a mente controla o prana e, com ele, suas ações.*

30. Os obstáculos [*antarayas*, "limitadores"] são aqueles [nove] dispersadores da mente [*citta*]: doença, apatia, dúvida, torpor, inatividade, desinteresse, divagação, realização imprópria e instabilidade.

31. Com esses dispersadores, há desconforto, desespero, agitação dos membros, inspiração e expiração.

32. Para evitá-los, o exercício do princípio [*tattva*] único. [*Esse tattva é o atma, que aponta diretamente para o isvara.*]

33. O assentamento [ou tranquilização] da mente advém da demonstração de amizade, quando o assunto é conforto; de compaixão, quando o assunto é sofrimento; de alegria, quando o assunto é virtude; e de indiferença, quando o assunto é maldade. [*A vitória sobre os obstáculos conduz ao assentamento (prasadanam) de citta, que é uma condição indispensável para o Samadhi].*

34. Ou [então, se demonstra] pela expulsão e pela retenção do prana.

35. Ou é a tendência à objetividade que surge vinculada à estabilidade da mente [*a mente se fixa no que é verdadeiro, sem se deixar arrastar pela interferência de estímulos (físicos ou mentais) externos, que alterem sua percepção dos fatos.*]

36. Ou é a luminosa ausência de tristeza. *[A tristeza é a inconformidade de nossa mente com os fatos. Assentada, ela se ilumina e não mais entristece.]*

वीतरागविषयं वा चित्तम् ॥ ३७ ॥

vītarāgaviṣayaṁ vā cittam ||37||

स्वप्ननिद्राज्ञानालम्बनं वा ॥ ३८ ॥

svapnanidrājñānālambanaṁ vā ||38||

यथाभिमतध्यानाद्‌ वा ॥ ३९ ॥

yathābhimatadhyānād vā ||39|||

परमाणु परममहत्त्वान्तोऽस्य वशीकारः ॥ ४० ॥

paramāṇu paramamahattvānto'sya vaśīkāraḥ ||40||

क्षीणवृत्तेरभिजातस्येव मणेर्ग्रहीतृग्रहणग्राह्येषु
तत्स्थतदञ्जनतासमापत्तिः ॥ ४१ ॥

kṣīṇavṛtterabhijātasyeva maṇergrahītṛgrahaṇagrāhyeṣu

tatsthatadañjanatāsamāpattiḥ ||41||

तत्र शब्दार्थज्ञानविकल्पैः संकीर्णा सवितर्का समापत्तिः ॥ ४२ ॥

tatra śabdārthajñānavikalpaiḥ saṅkīrṇā savitarkā

samāpattiḥ ||42||

Sutra I, 37 *Aqui temos uma construção gramatical em que surge um falso neutro, no acusativo "visayam". Esse acusativo tem função adverbial, referindo-se ao modo de "ser" de citta, tendo por termo de comparação o apego aos desejos. Evidentemente se trata, aqui, de citta como o núcleo central de nossa mente, que tem um impacto tranquilizador sobre esses apegos.*

37. Ou é [o assentamento da mente, como] citta, quando o assunto é o apego aos desejos.

38. Ou [o assentamento da mente] pende da experiência do sono com sonhos [*quando silenciam as interferências externas na produção dos sonhos, e estes passam a refletir a sabedoria serena do eu profundo e se tornam reveladores*].

39. Ou então provém da meditação [*dhyana*] no que é desejável [*a fixação da atenção em um único objeto por algum tempo – é mais fácil quando o objeto se torna agradável para nós, o que é particularmente verdadeiro, se for algo que tenha relação com a nossa vocação. Prestar atenção às coisas de nossa vocação promove o assentamento da mente*].

40. O controle disto [do assentamento da mente] está entre os limites de grandeza suprema e infinitesimal.

41. O que surge com [o assentamento da mente] é aquele colorido da atividade enfraquecida [de *citta*], como se fosse [o colorido] de um cristal precioso, que está [ao mesmo tempo] lá no percebedor, na percepção e no objeto percebido.

42. O que surge [também] está acompanhado da razão [*savitarka*], combinada com palavras, significados, conhecimentos e imaginação. [*Quando a mente se assenta, a razão assume um compromisso com a verdade na sua lógica, na sua significação, na sua vivência e no seu poder de imaginação, livre dos limites impostos pelas convenções sociais.*]

स्मृतिपरिशुद्धौ स्वरूपशून्येवार्थमात्रनिर्भासा निर्वितर्का ॥ ४३ ॥

smṛtipariśuddhau svarūpaśūnyevārthamātranirbhāsā nirvitarkā ||43||

एतयैव सविचारा निर्विचारा च सूक्ष्मविषया व्याख्याता ॥ ४४ ॥

etayaiva savicārā nirvicārā ca sūkṣmaviṣayā vyākhyātā ||44||

सूक्ष्मविषयत्वं चालिङ्गपर्यवसानम् ॥ ४५ ॥

sūkṣmaviṣayatvaṁ cāliṅgaparyavasānam ||45||

ता एव सबीजः समाधिः ॥ ४६ ॥

tā eva sabījaḥ samādhiḥ ||46||

निर्विचारवैशारद्येऽध्यात्मप्रसादः ॥ ४७ ॥

nirvicāravaiśāradye'dhyātmaprasādaḥ ||47||

Sutra I, 43 *A memória guarda ideias que a mente produziu no passado e que tanto podem ser verdadeiras como falsas. Para eliminar o falso na memória, a mente deve ir além da razão, caindo na esfera da significação, que, ao longo do tempo, deu-nos uma identidade. Rejeitar e reconstruir essa identidade, como se estivéssemos abandonando nossa natureza autêntica, é parte do processo de purificação da memória.*

Sutra I, 46 *O Samadhi é descrito entre os Sutras 41 e 46 como algo que se cultiva a partir de uma semente, desde a esfera objetiva (grosseira) até a esfera subjetiva (sutil). Encontramos uma abordagem similar na Mandukya Upanishat, que mostra três "eus" combinados dentro de nossa alma, desde o grosseiro até o mais sutil: um deles tem consciência no corpo; outro tem consciência na mente; e o terceiro, no coração. Este último expressa a sabedoria intuitiva, prajna. Os três, integrados, são a essência do si mesmo. Por analogia, o Samadhi que os Sutras descre vem corresponde ao alinhamento e à integração desses três eus, sob o comando do eu do coração.*

43. Na purificação da memória, [o que surge junto] é despojado de razão [*nirvitarka*], tal qual, dentro dos limites da significação, ficar qual se estivesse desprovido de sua natureza autêntica. [*Purificar a memória é necessário, para que o sentido de tudo aquilo que ela guarda esteja livre de falsidades e para que ela seja uma simples expressão da verdade.*]

[Sa-/Nir-] ***Vitarka:*** *pensamento lógico, baseado nos objetos e nas palavras.*

[Sa-/Nir-] ***Vicara:*** *pensamento com que se elabora conceitos abstratos ou julgamentos de valor e mérito, sem a necessidade de referência a objetos materiais.*

[Os prefixos ***Sa-*** *e* ***Nir-*** *significam "com" e "sem"]*

44. Dessa maneira se explica também, numa esfera sutil, [o que surge junto] com a reflexão [*savicara*] e com o despojado de reflexão [*nirvicara*]. [*Assim como o abandono dos argumentos torna a mente mais objetiva e a memória mais perfeita, o abandono dos juízos de valor faz a mente aproximar-se ainda mais de uma condição espiritual em que ela se recolhe ao coração*].

45. O conceito de esfera sutil é o que vai até o que não tem sinais distintivos [*isto é, o pensar se torna tão sutil, que fica imperceptível, indistinto*].

46. Estes [resultados do assentamento da mente] são exatamente o Samadhi com semente.

47. Na utilização com sabedoria do que é despojado de reflexão [*nirvicara*], o assentamento se faz diretamente pelo si mesmo [*adhyatma*].

ऋतंभरा तत्र प्रज्ञा ॥ ४८ ॥

ṛtambharā tatra prajñā ||48||

श्रुतानुमानप्रज्ञाभ्याम् अन्यविषया विशेषार्थत्वात् ॥ ४९ ॥

śrutānumānaprajñābhyām anyaviṣayā viśeṣārthatvāt ||49||

तज्जः संस्कारो न्यसंस्कारप्रतिबन्धी ॥ ५० ॥

tajjaḥ saṁskāro nyasaṁskārapratibandhī ||50||

तस्यापि निरोधे सर्वनिरोधान् निर्बीजः समाधिः ॥ ५१ ॥

tasyāpi nirodhe sarvanirodhān nirbījaḥ samādhiḥ ||51||

इति पतञ्जलिविरचिते योगसूत्रे प्रथमः समाधिपादः समाप्तः ॥ १ ॥

iti Patanjaliviracite yogasūtre prathamaḥ samādhipādaḥ samāptaḥ ||1||

Sutra I, 50 *Cabe esclarecer que o Samadhi é uma condição de alinhamento da consciência que se obtém por intermédio de uma prática continuada, persistente e somada ao desapego. Por esse motivo, podemos dizer que ele próprio é, seguramente, um hábito cultivado, um samskara. Na verdade, é o mais elevado de todos, que se sobrepõe e interrompe os demais.*

48. Lá [neste assentamento] está a percepção intuitiva [*prajna*], que contém em si mesma a verdade.

49. Trata-se de uma outra esfera [de experiências] distinta daquilo que se extrai da revelação ou da dedução e que deriva de uma significação especial.

50. O samskara que nasce daí interrompe todos os outros samskaras.

51. Daí também surge o Samadhi sem semente, a partir do recolhimento total, no recolhimento [*nirodha*]. [*É a condição na qual a mente já se habituou a expressar naturalmente a natureza autêntica do "eu" interno.*]

Assim se completa o primeiro capítulo, chamado "Samadhi" nos Sutras do Yoga compostos por Patanjali.

Capítulo II

Sadhana

साधनपादः ॥

||sādhanapādaḥ||

तपःस्वाध्यायेश्वरप्रणिधानानि क्रियायोगः ॥ १ ॥

tapaḥsvādhyāyeśvarapraṇidhānāni kriyāyogaḥ ||*1*||

समाधिभावनार्थः क्लेशतनूकरणार्थश्च ॥ २ ॥

samādhibhāvanārthaḥ kleśatanūkaraṇārthaśca ||*2*||

अविद्यास्मितारागद्वेषाभिनिवेशाः क्लेशाः ॥ ३ ॥

avidyāsmitārāgadveṣābhiniveśāḥ kleśāḥ ||*3*||

अविद्या क्षेत्रम् उत्तरेषां प्रसुप्ततनुविच्छिन्नोदाराणाम् ॥ ४ ॥

avidyā kṣetram uttareṣāṁ prasuptatanuvicchinnodārāṇām ||*4*||

अनित्याशुचिदुःखानात्मसु
नित्यशुचिसुखात्मख्यातिरविद्या ॥ ५ ॥

anityāśuciduḥkhānātmasu
nityaśucisukhātmakhyātiravidyā ||*5*||

दृग्दर्शनशक्त्योरेकात्मतेवास्मिता ॥ ६ ॥

dṛgdarśanaśaktyorekātmatevāsmitā ||*6*||

Sadhana

1. Ajustamento da ação [*kriyayoga*] é o sacrifício purificador [*tapas*], a busca do saber interior [*svadhyaya*] e a entrega ao *isvara* [*isvarapranidhana*].

2. Tem a finalidade de produzir o *Samadhi* e minimizar as perturbações.

3. Falta de sabedoria, egoidade [*asmita*], desejo, aversão e pertencimento são as perturbações [*klesas*].

Sutra II, 3 *Optamos por traduzir abhinivesa pela palavra "pertencimento", que expressa com mais clareza aquele tipo de perturbação. É o desejo de estar dentro de um grupo, ou de ser aceito por uma pessoa ou por um animal, ou ainda o desejo de estar dentro do próprio corpo (apego à vida). É a mais sutil das perturbações, muito difícil de se perceber e de se combater.*

4. Falta de sabedoria [*avidya*] é o campo onde crescem as demais perturbações, quer estejam adormecidas, quer estejam enfraquecidas, isoladas ou totalmente ativas.

5. Falta de sabedoria é a percepção da eternidade, pureza, bem-estar e individualidade naquilo que é perecedor, impuro, desagradável e não individual.

Sutra II, 5 *Sabedoria é um termo que expressa a habilidade de fazer, e não a habilidade para explicar. Quem tem sabedoria faz o que deve ser feito e faz corretamente, sem a necessidade de pensar.*

A doutrina do Yoga identifica certas características típicas do comportamento afetado pela falta de sabedoria, como ver eternidade no perecível, ver pureza no que é impuro, encontrar bem-estar no que é desagradável, ou individualidade no que é coletivo ou múltiplo.

6. Egoidade [*asmita*] é a identidade aparente das forças da percepção pura com as do instrumento da percepção. [*Com esta perturbação, a mente está projetando o eu onde ele não existe. O eu percebe, mas o corpo, que é o instrumento da percepção, não é o eu. A mente, que organiza e estrutura essa percepção, não é o eu. A única maneira de perceber o eu é vivendo a percepção, pois o eu só pode ser o observador, jamais o objeto da percepção.*]

सुखानुशयी रागः ॥ ७ ॥

sukhānuśayī rāgaḥ ||7||

दुःखानुशयी द्वेषः ॥ ८ ॥

duḥkhānuśayī dveṣaḥ ||8||

स्वरसवाही विदुषोऽपि तथारूढोऽभिनिवेशः ॥ ९ ॥

svarasavāhī viduṣo'pi tathārūḍho bhiniveśaḥ ||9||

ते प्रतिप्रसवहेयाः सूक्ष्माः ॥ १० ॥

te pratiprasavaheyāḥ sūkṣmāḥ ||10||

ध्यानहेयास्तद्वृत्तयः ॥ ११ ॥

dhyānaheyāstadvṛttayaḥ ||11||

क्लेशमूलः कर्माशयो दृष्टादृष्टजन्मवेदनीयः ॥ १२ ॥

kleśamūlaḥ karmāśayo dṛṣṭādṛṣṭajanmavedanīyaḥ ||12||

सति मूले तद्विपाको जात्यायुर्भोगाः ॥ १३ ॥

sati mūle tadvipāko jātyāyurbhogāḥ ||13||

Sutra II, 10-12 As perturbações somente sobrevivem enquanto a mente opera movida por valores grosseiros relativos ao desfrute da materialidade. As manifestações dos klesas nascem apenas na mente que está presa às motivações mundanas e que, portanto, torna-se o recipiente do karma.

Uma mente assim está tomada pela falta de sabedoria, mesmo que seja a mente de uma pessoa muito instruída. Somente Dhyana tem o poder de dar sutileza à mente, devolvendo a ela sua sabedoria perdida.

7. Desejo [*raga*] é o que decorre da experiência do prazer [*sukha*].

8. Aversão [*dvesa*] é o que decorre da experiência da dor [*duhkham*].

9. Da mesma forma, o pertencimento surge por impulso próprio até mesmo entre pessoas instruídas.

10. Elas [*as perturbações*] estão destinadas a ser destruídas pelo ressurgimento de suas próprias manifestações [*prasavas*], quando se tornarem sutis.

11. Dhyana (meditação) destrói as manifestações [*vrttis*] [dessas aflições]. [*Dhyana devolve ao praticante a sabedoria (vidya), destruindo o único campo em que as aflições podem se desenvolver.*]

12. O recipiente do karma (ou seja, a mente desconectada de seu centro, voltada para os resultados de suas ações) é a raiz das perturbações e deve ser percebido como a origem do visível e do invisível [*ou seja, essa mente é quem constrói a geografia de nossa vida objetiva e de nossa vida subjetiva*].

13. [Apoiado] nessa raiz da realidade, o amadurecimento [dos frutos] é nascimento, duração da vida e [qualidade do] desfrute. [*A mente que se sente vinculada aos frutos de suas ações constrói uma vida cujo único valor de referência é o desfrute desse frutos.*]

ते ह्लादपरितापफलाः पुण्यापुण्यहेतुत्वात् ॥ १४ ॥

te hlādaparitāpaphalāḥ puṇyāpuṇyahetutvāt ||14||

परिणामतापसंस्कारदुःखैर्गुणवृत्तिविरोधाच्

च दुःखम् एव सर्वं विवेकिनः ॥ १५ ॥

pariṇāmatāpasaṁskāraduḥkhairguṇavṛttivirodhāc

ca duḥkham eva sarvaṁ vivekinaḥ ||15||

हेयं दुःखम् अनागतम् ॥ १६ ॥

heyaṁ duḥkham anāgatam ||16||

द्रष्टृदृश्ययोः संयोगो हेयहेतुः ॥ १७ ॥

draṣṭṛdṛśyayoḥ saṁyogo heyahetuḥ ||17||

प्रकाशक्रियास्थितिशीलं भूतेन्द्रियात्मकं भोगापवर्गार्थं

दृश्यम् ॥ १८ ॥

prakāśakriyāsthitiśīlaṁ bhūtendriyātmakaṁ

bhogāpavargārthaṁ dṛśyam ||18||

विशेषाविशेषलिङ्गमात्रालिङ्गानि गुणपर्वाणि ॥ १९ ॥

viśeṣāviśeṣaliṅgamātrāliṅgāni guṇaparvāṇi ||19||

14. Eles são os frutos do prazer, ou do arrependimento, conforme provenham das ações virtuosas ou das ações viciosas.

Sutra II, 15 *Viveka é o discernimento que nos permite distinguir objetos e conceitos que tenham naturezas diferentes. O discernimento, no entanto, pode nos levar a uma visão um tanto pessimista acerca do mundo. O otimismo de Patanjali nos orienta a procurar o modo de vida que destrói o sofrimento.*

15. Também por causa do conflito das atividades dos gunas com as transformações naturais, com a purificação, com os costumes e com o sofrimento, tudo é sofrimento para quem tem discernimento.

16. O sofrimento que ainda não surgiu deve ser evitado.

17. A união [identificação] daquele que vê com aquilo que é para ser visto é a causa do que deve ser evitado. [*A natureza objetiva mistura-se e confunde-se com a natureza subjetiva, tornando-a impura, trazendo consigo as causas para o desconforto que se aloja em nossa mente.*]

Sutra II, 18 *Aquele que vê deve ver algo que o liberte – essa é a motivação natural do processo de percepção. E essa percepção libertadora se oculta por trás de uma natureza objetiva e limitada, que ora está parada, ora em movimento e às vezes manifestada.*

18. O que deve ser visto tem por objetivo o abandono do desfrute e é composto pelos elementos e pelos órgãos [*bhutendriyani*], tem caráter de permanência, de movimento e de manifestação.

Sutra II, 19 *As qualidades da natureza manifestadas às vezes se confundem e são difíceis de se descrever adequadamente. A mente confunde-se diante da dinâmica peculiar a essas qualidades.*

19. Distintas ou indistintas, demarcadas ou sem demarcações são as separações entre os gunas.

द्रष्टा दृशिमात्रः शुद्धोऽपि प्रत्ययानुपश्यः ॥ २० ॥
draṣṭā dṛśimātraḥ śuddho'pi pratyayānupaśyaḥ || 20||

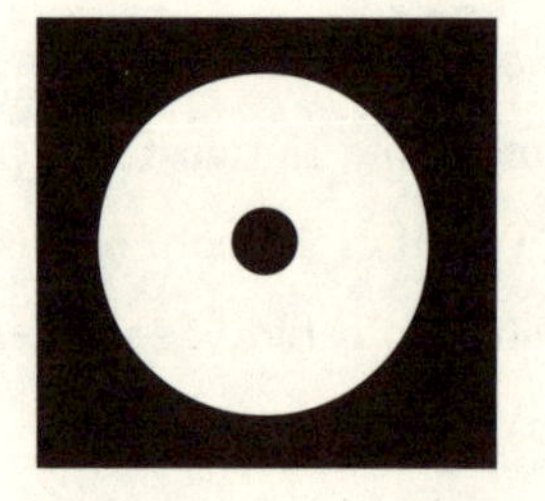

Os objetos materiais são dotados das características de permanência e impermanência simultaneamente. O aspecto impermanente produz sofrimento no observador. É uma relação maculada.

O aspecto permanente é um conjunto de sentidos ao qual o objeto está associado e que expressa sua essência espiritual.
Ao se ligar a esse perfil espiritual do objeto, o observador encontra sua própria essência espiritual ali refletida.

तदर्थ एव दृश्यस्यात्मा ॥ २१ ॥
tadartha eva dṛśyasyātmā ||21||

कृतार्थं प्रति नष्टम् अप्यनष्टं
तदन्यसाधारणत्वात् ॥ २२ ॥
kṛtārthaṁ prati naṣṭam apyanaṣṭaṁ
tadanyasādhāraṇatvāt ||22||

स्वस्वामिशक्त्योः स्वरूपोपलब्धिहेतुः संयोगः ॥ २३ ॥
svasvāmiśaktyoḥ svarūpopalabdhihetuḥ saṁyogaḥ ||23||

Sutra II, 23 *O percebedor é, em um certo sentido, senhor daquilo que é percebido. Suas percepções constituem o seu reino, seu universo. Um não existe sem o outro. Daí se dizer que há uma união muito forte entre ambos. Ao perceber o si mesmo no objeto, ele pode ver no objeto o reflexo de sua própria natureza (svarupa). No entanto, se o percebedor se apega ao percebível, sua natureza indestrutível é maculada pela natureza perecível do objeto. Enquanto esse apego persistir, ele não estará livre.*

20. Aquele que vê é a própria medida (ou referência) da visão e, até mesmo purificado, ele observa [apenas] uma ideia. [*Por mais pura que seja a visão, ela não é capaz de mostrar o objeto, mas apenas a ideia que fazemos desse objeto.*]

21. Seu objetivo [*artha*] é somente [encontrar] a natureza real [*atma*] do percebível. [*Em suma, o atma (si mesmo) busca a si mesmo no objeto de suas percepções. Nossa inteligência busca eternamente a compreensão do "eu", a apreensão do sentido do si mesmo. Entretanto, como não é possível observá-lo diretamente (porque ele é o próprio observador), a inteligência procura identificar os sinais do atma, sua natureza real, nos objetos do mundo ao seu redor*].

22. Ainda que destruído quando o objetivo é alcançado, aquilo não é destruído, por causa de sua universalidade para os outros. [*Quando alcançamos a percepção do si mesmo no objeto observado, ele é destruído como objeto, pois se tornou o próprio observador. Contudo, por ter a natureza do si mesmo, o objeto que deve ser visto não pode ser destruído, pois é universalmente acessível para outros observadores – ainda que, de fato, não exista.*]

23. A união das forças próprias e das forças do senhor é a razão pela qual acontece a apreensão de sua própria natureza.

तस्य हेतुरविद्या ॥ २४ ॥

tasya heturavidyā ||24||

तदभावात् संयोगाभावो हानं । तद्दृशेः कैवल्यम् ॥ २५ ॥

tadabhāvāt saṁyogābhāvo hānaṁ| taddṛśeḥ kaivalyam ||25||

विवेकख्यातिरविप्लवा हानोपायः ॥ २६ ॥

vivekakhyātiraviplavā hānopāyaḥ ||26||

तस्य सप्तधा प्रान्तभूमिः प्रज्ञा ॥ २७ ॥

tasya saptadhā prāntabhūmiḥ prajñā ||27||

योगाङ्गानुष्ठानाद् अशुद्धिक्षये ज्ञानदीप्तिरा विवेकख्यातेः ॥ २८ ॥

yogāṅgānuṣṭhānād aśuddhikṣaye jñānadīptirā vivekakhyāteḥ ||28||

यमनियमासनप्राणायामप्रत्याहारधारणाध्यानसमाधयो ऽष्टावङ्गानि ॥ २९ ॥

yamaniyamāsanaprāṇāyāmapratyāhāradhāraṇādhyāna samādhayo 'ṣṭāvaṅgāni ||29||

तत्राहिंसासत्यास्तेयब्रह्मचर्यापरिग्रहा यमाः ॥ ३० ॥

tatrāhiṁsāsatyāsteyabrahmacaryāparigrahā yamāḥ ||30||

24. Sua causa [da união do percebedor com o percebível] é a falta da sabedoria [*avidya*].

25. Da inexistência de avidya decorre a destruição dessa união [*samyoga*]. Isso é o isolamento [*kaivalya*] da percepção [*drsi*].

26. O método para eliminar [essa união e, portanto, *avidya*] é uma determinação mental contínua, provida de discernimento [*viveka*].[*Este Sutra informa que o discernimento é o coração do método do Yoga, pois cria as condições adequadas para o kaivalya*].

27. Seu termo-limite de sete maneiras diferentes é *prajna*.

28. Na destruição das impurezas, decorrente da prática dos componentes do Yoga, há o brilho do conhecimento [*jnana*], que vem da afirmação do discernimento [*viveka*].

29. *Yama, Niyama, Asana, Pranayama,* recolhimento [*Pratyahara*], concentração [*Dharana*], meditação [*Dhyana*] e *Samadhi* são os oito componentes [*Angani*] do Yoga.

30. Lá, os Yamas são a não agressão [*ahimsa*], a autenticidade [*satya*], o não roubar [*asteya*], a prática de uma vida espiritualmente regrada [*brahmacarya*] e o não cobiçar [*aparigraha*].

Sutra II, 24 *A sabedoria (vidya) não se expressa por palavras ou ideias, mas apenas por atos. O ato de perceber (drsi) pode expressar sabedoria, se a percepção estiver livre de quaisquer interferências externas. Se o percebedor que busca o si mesmo no objeto se apega ao objeto como se o objeto fosse o próprio si mesmo, isso significa que ele foi tomado pela falta de sabedoria. Ela faz o observador enxergar o eterno no perecível etc., como descrito no Sutra 5 deste capítulo. Para libertar a percepção, é preciso, basicamente, mudar o modo de se integrar o observador ao objeto – eliminando a interferência de avidya.*

Sutras II, 26 a 28 *Os oito componentes do Yoga servem para fortalecer o discernimento e, dessa maneira, eliminar avidya de nossa vida, de um modo seguro e definitivo.*

Sutra II, 27 *Aqui, Patanjali começa a explicar o método (upaya) do Yoga, dizendo que de sete maneiras diferentes ele conduz a mente à intuição (ou seja, conduzida ao modo de ser do coração). Ele não informa que maneiras são essas, apenas faz essa breve referência.*

जातिदेशकालसमयानवच्छिन्नाः
सार्वभौमा महाव्रतम् ॥ ३१ ॥

jātideśakālasamayānavacchinnāḥ
sārvabhaumā mahāvratam ||31||

शौचसंतोषतपःस्वाध्यायेश्वरप्रणिधानानि नियमाः ॥ ३२ ॥

śaucasantoṣatapaḥsvādhyāyeśvarapraṇidhānāni
niyamāḥ ||32||

वितर्कबाधने प्रतिपक्षभावनम् ॥ ३३ ॥

vitarkabādhane pratipakṣabhāvanam ||33||

वितर्का हिंसादयः कृतकारितानुमोदिता लोभक्रोधमोहपूर्वका
मृदुमध्याधिमात्रा दुःखाज्ञानानन्तफला इति
प्रतिपक्षभावनम् ॥ ३४ ॥

vitarkā hiṁsādayaḥ kṛtakāritānumoditā lobhakrodhamoha
pūrvakā mṛdumadhyādhimātrā duḥkhājñānānantaphalā iti
pratipakṣabhāvanam ||34||

अहिंसाप्रतिष्ठायां तत्सन्निधौ वैरत्यागः ॥ ३५ ॥

ahiṁsāpratiṣṭhāyāṁ tatsannidhau vairatyāgaḥ ||35||

सत्यप्रतिष्ठायां क्रियाफलाश्रयत्वम् ॥ ३६ ॥

satyapratiṣṭhāyāṁ kriyāphalāśrayatvam ||36||

अस्तेयप्रतिष्ठायां सर्वरत्नोपस्थानम् ॥ ३७ ॥

asteyapratiṣṭhāyāṁ sarvaratnopasthānam ||37||

Sutra II, 34 *O desconforto a que se refere este Sutra parece ser o desconforto em relação a si mesmo, próprio da pessoa que adota um mau comportamento. Note também que os maus pensamentos são tratados aqui como se fossem as próprias ações que eles produzem e que são realizadas com a complacência daquela parcela da sociedade que comunga dos mesmos valores torpes.*

31. [Eles são] o grande voto, alicerces universais [do bom comportamento] que não são limitados por casta, região, tempo ou circunstância.

32. Os Niyamas são limpeza [*sauca*], contentamento [*santosa*], sacrifício [*tapas*], busca do saber interior [*svadhyaya*] e entrega ao Isvara [*isvarapranidhana*].[*Três destes componentes do Niyama são os mesmos elementos que foram chamados, no Sutra II, 1, de kriyayoga. Daí sua importância na prática do Yoga*].

33. São a produção de oposição, na contenção dos *vitarkas* (pensamentos torpes).

34. Os vitarkas são [ações como] violência, e outras, que são feitas, levadas a ser feitas e aceitas por causa da avareza, da cólera e da ilusão. Eles podem ser fracos, médios ou intensos e são os frutos infinitos do desconforto e da ignorância. [*Yama* e *Niyama*] são a produção de oposição [aos *vitarkas*].

35. No estabelecimento da não agressão [*ahimsa*], a inimizade desaparece das proximidades.

36. No estabelecimento da verdade [*satya*], surge a coerência dos resultados (frutos) e das ações.

37. No estabelecimento do não roubar [*asteya*], surge a aproximação de todas as coisas preciosas.

ब्रह्मचर्यप्रतिष्ठायां वीर्यलाभः ॥ ३८ ॥

brahmacaryapratiṣṭhāyāṁ vīryalābhaḥ ||38||

अपरिग्रहस्थैर्ये जन्मकथंतासंबोधः ॥ ३९ ॥

aparigrahasthairye janmakathantāsambodhaḥ ||39||

शौचात् स्वाङ्गजुगुप्सा परैरसंसर्गः ॥ ४० ॥

śaucāt svāṅgajugupsā parairasaṁsargaḥ ||40||

सत्त्वशुद्धिसौमनस्यैकाग्र्येन्द्रियजयात्मदर्शनयोग्यत्वानि च ॥ ४१ ॥

sattvaśuddhisaumanasyaikāgryendriyajayātmadarśanayo gyatvāni ca ||41||

संतोषाद् अनुत्तमः सुखलाभः ॥ ४२ ॥

santoṣād anuttamaḥ sukhalābhaḥ ||42||

कायेन्द्रियसिद्धिरशुद्धिक्षयात् तपसः ॥ ४३ ॥

kāyendriyasiddhiraśuddhikṣayāt tapasaḥ ||43||

स्वाध्यायाद् इष्टदेवतासंप्रयोगः ॥ ४४ ॥

svādhyāyād iṣṭadevatāsamprayogaḥ ||44||

Sutra II, 38 *Brahmacarya significa uma atitude de dedicação ao aprendizado e aquisição de conhecimento. Sobre este Sutra, Vyasa comenta: "...Há a apropriação do vigor, por cuja apropriação [o yogui] faz crescer imbatíveis qualidades e, perfeito, torna-se capaz de colocar conhecimento (jnana) nos discípulos". Aqui está bem claro que o sentido de brahmacarya é capacitar o yogui para ajudar outras pessoas a alcançar a clareza de entendimento.*

Sutra II, 39 *Cada qual nasce com uma natureza peculiar que determina o que nos pertence e o que não nos pertence neste mundo. Quem cobiça está bem longe da compreensão das razões de sua própria existência.*

38. No estabelecimento do brahmacarya há a apropriação do vigor. [*A palavra virya, aqui traduzida por vigor, expressa a presença da vontade espiritual nas ações do indivíduo. Essa vontade é o ingrediente indispensável à realização da sabedoria. O herói é "vira", aquele que tem a vontade.*]

39. Na firmeza da não apropriação [*aparigraha*], a percepção clara sobre o porquê do nascimento.

40. Da limpeza [*sauca*] vem a indiferença em relação ao próprio corpo e o desinteresse por se misturar com os outros.

41. E [também] a pureza [*suddhi*] da essência, os pensamentos elevados, o foco, o controle sobre os sentidos e a aptidão para a percepção do si mesmo.

42. Do contentamento, surge a obtenção de um conforto insuperável.

43. Da destruição das impurezas pelo tapas, surge a perfeição dos sentidos corporais. [*A realização do tapas traz inteligência corporal para o indivíduo, o que significa que ele percebe e se expressa com muito mais desenvoltura e espontaneidade que os demais.*]

44. Do estudo de si mesmo [*svadhyaya*], surge a integração com a divindade de sua escolha [*istadevata*]. [*Personagens míticos (que representam as forças naturais dentro de nós) tornam-se visíveis e se envolvem em atividades do yogui, segundo o comentário de Vyasa.*]

समाधिसिद्धिरीश्वरप्रणिधानात् ॥ ४५ ॥

samādhisiddhirīśvarapraṇidhānāt ||45||

स्थिरसुखम् आसनम् ॥ ४६ ॥

sthirasukham āsanam ||46||

प्रयत्नशैथिल्यानन्तसमापत्तिभ्याम् ॥ ४७ ॥

prayatnaśaithilyānantasamāpattibhyām ||47||

ततो द्वन्द्वानभिघातः ॥ ४८ ॥

tato dvandvānabhighātaḥ ||48||

तस्मिन् सति श्वासप्रश्वासयोर्गतिविच्छेदः प्राणायामः ॥ ४९ ॥

tasmin sati śvāsapraśvāsayorgativicchedaḥ prāṇāyāmaḥ ||49||

बाह्याभ्यन्तरस्तम्भवृत्तिः देशकालसंख्याभिः
परिदृष्टो दीर्घसूक्ष्मः ॥ ५० ॥

bāhyābhyantarastambhavṛttiḥ deśakālasaṅkhyābhiḥ

paridṛṣṭo dīrghasūkṣmaḥ ||50||

बाह्याभ्यन्तरविषयाक्षेपी चतुर्थः ॥ ५१ ॥

bāhyābhyantaraviṣayākṣepī caturthaḥ ||51||

Sutra II, 45 *Vyasa comenta: "A perfeição no Samadhi pertence àquele que se fixa no isvara com todo o seu ser. Aquela pela qual ele verdadeiramente conhece todas as coisas desejadas, em qualquer lugar, em qualquer corpo e em qualquer época, é a intuição deste [yogui]. Ele intui [tudo] como é [de verdade]". De fato, isvara é o comandante que tem assento no coração e que fala a linguagem da intuição (prajna).*

Sutras II, 46 a 48 *Apesar de serem poucas palavras para descrever o Asana, este era um componente muito importante para o Yoga, desde a época das Upanishadas, que já diziam que o assento deveria ser firme e confortável. O Asana não é uma postura do corpo, mas sim outro tipo de assento. Nos comentários de Vyasa aos Sutras do Yoga sobre esse trecho, ele afirma: "A mente (citta) caída no infinito faz surgir o Asana". Isto é, certamente, uma alusão ao espaço interno do coração, que abriga o infinito. A mente precisa "cair" no coração, ou seja, tornar-se a expressão do coração, para que o Asana*

45. Da entrega ao *isvara* surge a perfeição no Samadhi.

46. Firme e confortável é o assento [*Asana*].

47. Pelo relaxamento dos esforços e pelo encontro com o que é infinito.

48. Daí não ser [o yogui] oprimido pela dualidade [*dvandva*].

49. Naquilo que é verdadeiro, o *Pranayama* é a separação dos movimentos de inspiração e expiração. [*Prana é sopro, mas não necessariamente o sopro material. Como a respiração, ele está relacionado à preservação da vida. O prana tem a natureza sutil do "espírito" (sopro) e está relacionado ao ar, porque é invisível e apenas é percebido como vento, quando está em movimento. Para ser mais preciso, o prana é o movimento puro*].

50. A atividade é interna, externa e de imobilidade. [O *Pranayama*] é percebido pelo lugar, tempo e número. É duradouro e sutil.

51. O quarto [*Pranayama*] refere-se ao objeto externo e ao interno. [*Esses objetos são a percepção objetiva e subjetiva integradas pelo exercício conjunto das três atividades de controle do prāṇa descritas no Sutra anterior. Essas atividades ocorrem na mente do yogui. O conjunto das três é chamado "o quarto"*].

ततः क्षीयते प्रकाशावरणम् ॥ ५२ ॥

tataḥ kṣīyate prakāśāvaraṇam ||52||

धारणासु च योग्यता मनसः ॥ ५३ ॥

dhāraṇāsu ca yogyatā manasaḥ ||53||

स्वविषयासंप्रयोगे चित्तस्य स्वरूपानुकार
इवेन्द्रियाणां प्रत्याहारः ॥ ५४ ॥

svaviṣayāsamprayoge cittasya svarūpānukāra

ivendriyāṇāṁ pratyāhāraḥ ||54||

ततः परमा वश्यतेन्द्रियाणाम् ॥ ५५ ॥

tataḥ paramā vaśyatendriyāṇām ||55||

इति पतञ्जलिविरचिते योगसूत्रे द्वितीयः साधनपादः
समाप्तः ॥ २ ॥

iti Patanjaliviracite Yogasūtre dvitīyaḥ sādhanapādaḥ

samāptaḥ ||2||

se viabilize. Somente assim haverá a firmeza e também o conforto que caracterizam o assento do yogui.

SUTRAS II, 49 A 53 *A Hatha-Yoga Pradipika diz, sobre o Pranayama: "No vento que se move está a mente (citta), que se move no imóvel, (portanto) deve estar (a mente) que não se move. O yogui (com a mente imóvel) alcança a condição de estabilidade, por essa razão o vento deve ser recolhido.*

Enquanto o vento permanece no corpo, então ele é chamado "vida". A morte é a sua saída, por essa razão o vento deve ser recolhido" (HYP II, 2 e 3). Para Patanjali, o Yoga é o recolhimento das atividades da mente, e o Pranayama é como uma versão abreviada do Yoga, que integra nossa vida objetiva à vida subjetiva, pela eliminação das impurezas que ocultam o brilho de nossa natureza autêntica. Estabilização e purificação da mente e do corpo, eis no que consiste o Pranayama.

52. Daí é destruído "aquilo que oculta" [*avarana*] a luz [*prakasa*]. [*Esse ocultamento tem a natureza da ilusão de avidya, que impede a expressão da verdadeira natureza do yogui, que é sua própria luz (prakaa). Patanjali volta a se referir a este ocultamento no Sutra IV, 31.*]

53. E [então há] o ajustamento da mente [*manas*] nas *dharanas*.

54. O recolhimento (Pratyahara) dos sentidos, na ausência da conexão com seus objetos peculiares, é como uma imitação da natureza autêntica de *citta*. [*Operando como um complemento natural do Asana (reduzindo os esforços da mente) e do Pranayama (recolhendo para o coração o movimento abstrato da percepção), o Pratyahara prepara a mente do yogui para um mergulho no processo da meditação – que é o exercício de sua própria natureza.*]

55. Daí provém a completa sujeição dos sentidos [*indriyani*] [ao comando de *citta*].

Assim se completa o segundo capítulo, chamado "Sadhana" nos Sutras do Yoga compostos por Patanjali.

Capítulo III

Vibhuti

॥ विभूतिपादः ॥
||vibhūtipādaḥ||

देशबन्धश्चित्तस्य धारणा ॥ १ ॥
deśabandhaścittasya dhāraṇā ||*1*||

तत्र प्रत्ययैकतानता ध्यानम् ॥ २ ॥
tatra pratyayaikatānatā dhyānam ||*2*||

तद् एवार्थमात्रनिर्भासं स्वरूपशून्यम् इव समाधिः ॥ ३ ॥
tad evārthamātranirbhāsaṁ svarūpaśūnyam iva samādhiḥ ||*3*||

त्रयम् एकत्र संयमः ॥ ४ ॥
trayam ekatra saṁyamaḥ ||*4*||

तज्जयात् प्रज्ञाऽऽलोकः ॥ ५ ॥
tajjayāt prajñā''lokaḥ ||*5*||

तस्य भूमिषु विनियोगः ॥ ६ ॥
tasya bhūmiṣu viniyogaḥ ||*6*||

त्रयम् अन्तरङ्गं पूर्वेभ्यः ॥ ७ ॥
trayam antaraṅgaṁ pūrvebhyaḥ ||*7*||

Vibhuti

Sutra III, 1 *Fixar citta em um determinado espaço é o que propõe a dharana. Entretanto, que espaço é esse? As Upanishadas, principais fontes de inspiração do Yoga, deixam claro que esse território é o coração. Na visão do Yoga, a mente nasce vocacionada para a perfeição, mas, em seu esforço para enlaçar o mundo externo, ela se "deseduca". Perde seus focos naturais e se desvia de suas funções básicas. Logo no comentário ao primeiro Sutra de Patanjali, Vyasa estabelece a importância de fazer a mente transitar desde o estado de dispersão para o estado ekagrata (focado). No entanto, a concentração tem de formar dois focos, um de partida, no objeto, e outro de chegada, no "eu" que reside no território do coração. Nesses dois pontos deve ser obtido o ekagrata. A mente educada, que tem seus dois focos definidos pelo coração, é a mente do yogui.*

1. Dharana é a fixação da mente [*citta*] em um território [*desa*].

2. Dhyana é, ali (no território em que citta se estabeleceu), a fixação da atenção em um único objeto, com convicção.

3. Samadhi é apenas isso, como se tornar vazio de sua forma autêntica e semelhante à natureza do objeto.

4. Os três, reunidos em um único, são o Samyama (meditação).

5. De sua conquista se origina o mundo da intuição [*prajna – o conhecimento natural*].

6. Sua utilização é nos territórios [*em que citta se estabelece*].

7. Os três são, para os *aṅgas* anteriores, um *anga* interno. [*O Samyama é, em certo sentido, a alma da prática do Yoga. Por essa razão, Patanjali o apresenta como o componente interno para cada um dos cinco "angas" que foram tratados no capítulo anterior.*]

तद् अपि बहिरङ्गं निर्बीजस्य ॥ ८ ॥

tad api bahiraṅgaṁ nirbījasya ||8||

व्युत्थाननिरोधसंस्कारयोरभिभवप्रादुर्भावौ
निरोधक्षणचित्तान्वयो निरोधपरिणामः ॥ ९ ॥

vyutthānanirodhasaṁskārayorabhibhavaprādurbhāvau
nirodhakṣaṇacittānvayo nirodhapariṇāmaḥ ||9||

तस्य प्रशान्तवाहिता संस्कारात् ॥ १० ॥

tasya praśāntavāhitā saṁskārāt ||10||

सर्वार्थतैकाग्रतयोः क्षयोदयौ चित्तस्य
समाधिपरिणामः ॥ ११ ॥

sarvārthataikāgratayoḥ kṣayodayau cittasya
samādhipariṇāmaḥ ||11||

ततः पुनः शान्तोदितौ तुल्यप्रत्ययौ
चित्तस्यैकाग्रतापरिणामः ॥ १२ ॥

tataḥ punaḥ śāntoditau tulyapratyayau
cittasyaikāgratāpariṇāmaḥ ||12||

एतेन भूतेन्द्रियेषु धर्मलक्षणावस्थापरिणामा
व्याख्याताः ॥ १३ ॥

etena bhūtendriyeṣu dharmalakṣaṇāvasthāpariṇāmā
vyākhyātāḥ ||13||

Sutra III, 9 *A primeira transformação de citta – pelo recolhimento (nirodha).*

8. Ainda assim, são um *anga* externo do nirbija ("sem sementes"). [*Para entender o Samadhi sem sementes, veja os Sutras 47 a 51 do capítulo 1.*]

Sutra III, 11 *A segunda transformação de citta – pelo Samadhi.*

9. É a vinculação de *citta* aos momentos de recolhimento, tornando-o mais forte nos hábitos que produzem a dispersão e mais manifesto nos hábitos que produzem o recolhimento.

Sutra III, 12 *A terceira transformação de citta – por ekagrata.*

10. Por trabalhar com o hábito [*samskara*], [essa transformação] conduz à tranquilidade.

11. A destruição da distração e o cultivo do estado de concentração em um único ponto [*ekagrata*] é a transformação de *citta* pelo Samadhi.

12. Daí, novamente, a transformação de *citta* pelo *ekagrata* é fazer o indistinto tornar-se indiferente e fazer o destacado objeto de nossa atenção convicta. [*O indistinto é aquilo que não tem relação com o nosso dharma e que, por essa razão, não chama nossa atenção, quando a mente está equilibrada. O destacado é aquilo que, justamente por vincular-se à nossa verdadeira natureza, ganha importância para nós e se destaca em nossa mente. Se a mente está perturbada, ela se interessa pelo inútil e não percebe o que é importante, de fato, para a realização do nosso dharma.*]

13. Dessa maneira se explicam as transformações [de *citta*] pelas quais se manifestam os sinais distintivos do dharma nos elementos e nos órgãos de ação e percepção.

शान्तोदितान्यपदेश्यधर्मानुपाती धर्मी ॥ १४ ॥

śāntoditāvyapadeśyadharmānupātī dharmī ||14||

क्रमान्यत्वं परिणामान्यत्वे हेतुः ॥ १५ ॥

kramānyatvaṁ pariṇāmānyatve hetuḥ ||15||

परिणामत्रयसंयमाद् अतीतानागतज्ञानम् ॥ १६ ॥

pariṇāmatrayasaṁyamād atītānāgatajñānam ||16||

शब्दार्थप्रत्ययानाम् इतरेतराध्यासात् संकरः ।
तत्प्रविभागसंयमात् सर्वभूतरुतज्ञानम् ॥ १७ ॥

śabdārthapratyayānām itaretarādhyāsāt saṅkaraḥ|
tatpravibhāgasaṁyamāt sarvabhūtarutajñānam ||17||

संस्कारसाक्षत्करणात् पूर्वजातिज्ञानम् ॥ १८ ॥

saṁskārasākṣatkaraṇāt pūrvajātijñānam ||18||

प्रत्ययस्य परचित्तज्ञानम् ॥ १९ ॥

pratyayasya paracittajñānam ||19||

न च तत् सालम्बनं तस्याविषयीभूतत्वात् ॥ २० ॥

na ca tat sālambanaṁ tasyāviṣayībhūtatvāt ||20||

Sutra III, 14 *O dharma não é estático, mas se manifesta dinamicamente e, por esse motivo, não pode ser observado, senão no andamento das ações. Objetos estáticos não revelam o dharma. Por essa razão, a dinâmica das transformações de citta torna-se a causa da percepção vivencial do dharma – ou seja, faz o dharma manifestar-se e produzir o dharmin.*

Sutra III, 15 *Este Sutra introduz o conceito de "vibhuti" (resultado) que dá título a este capítulo. Todos os resultados obtidos são consequentes das transformações de citta, na meditação, diferenciando-se apenas quanto ao procedimento – a meditação com foco em um assunto produz um determinado resultado; a meditação volta-se para outro assunto e produz outro resultado diferente etc.*

Sutra III, 18 *Observação direta, aqui, é olhar, com os olhos bem abertos, para os nossos hábitos e manias. Assim como as consagrações religiosas expressam a repetição de hábitos sociais ancestrais, nossas pequenas neuroses e hábitos são a herança de*

14. A pessoa [que manifesta esses sinais do *dharma*] (o *dharmin*) surge como resultado de o fato do *dharma* não poder ser apontado (reconhecido) no que é genérico [indistinto – as coisas que não despertam nosso interesse] ou específico [destacado – as coisas que chamam nossa atenção].

15. A causa na diferença das [três] transformações é a diferença de andamento (de procedimento).

16. Da meditação sobre a tripla transformação de citta surge o conhecimento do passado e do futuro.

17. Existe uma mistura (confusão) entre as palavras, os objetos e as ideias (significações) decorrente da sua conexão mútua. O Samyama sobre as suas distinções traz o conhecimento das vozes (gritos) de todas as criaturas.

18. Da observação direta dos samskaras, surge o conhecimento de vidas passadas.

19. [Da observação direta] das ideias, o conhecimento que está além de citta.

20. E a sustentação disso não decorre do fato de se tornar seu domínio.

कायरूपसंयमात् तद्ग्राह्यशक्तिस्तम्भे
चक्षुःप्रकाशासंप्रयोगेऽन्तर्धानम् ॥ २१ ॥

kāyarūpasaṁyamāt tadgrāhyaçaktistambhe

cakṣuḥprakāśāsamprayoge'ntardhānam ||21||

एतेन शब्दाद्यन्तर्धानमुक्तम् ॥ २२ ॥

etena śabdādyantardhānamuktam ||22||

सोपक्रमं निरुपक्रमं च कर्म । तत्संयमाद् अपरान्तज्ञानम्
अरिष्टेभ्यो वा ॥ २३ ॥

sopakramaṁ nirupakramaṁ ca karma| tatsaṁyamād

aparāntajñānam ariṣṭebhyo vā ||23||

मैत्र्यादिषु बलानि ॥ २४ ॥

maitryādiṣu balāni ||24||

बलेषु हस्तिबलादीनि ॥ २५ ॥

baleṣu hastibalādīni ||25||

प्रवृ यालोकन्यासात् सूक्ष्मव्यवहितविप्रकृष्टज्ञानम् ॥ २६ ॥

pravṛttyālokanyāsāt sūkṣmavyavahitaviprakṛṣṭajñānam ||26||

vidas pregressas que conduzem a nossa mente por caminhos com os quais ela está familiarizada.

Sutras III, 19 e 20
Aqui o autor se refere provavelmente a vivências compartilhadas pelas outras pessoas, por meio de suas ideias – mas também pode estar se referindo a conhecimentos que surgem (ou chegam até nós) de outras fontes, fora do núcleo de nossa mente. O fato de o yogui experimentar esses conhecimentos não os faz pertencer à esfera das ideias do próprio yogui. Ele tem a vantagem de compreender as ideias e as motivações dos outros, sem, no entanto, envolver-se ou se apropriar dessas ideias, acreditando equivocadamente que elas são suas.

21. Do Samyama sobre a forma do corpo, na suspensão da força que o torna captável (pela visão), na ausência da união da luz com o olho, surge a invisibilidade. [*Meditar sobre o corpo, sem levar em consideração a força que o torna captável pelo olhar (provavelmente Patanjali se refere ao desejo como força, que faz o olhar buscar seu objeto), conduz a um estado de invisibilidade.*]

22. Da mesma maneira se diz da desaparição do som etc.

23. O karma é saudável e mórbido. Do Samyama sobre isso (assim como pelos agouros), surge o conhecimento da morte.

24. Sobre a amizade etc., as respectivas forças.

25. Sobre as forças, as forças do elefante etc.

26. Da aplicação [do *Samyama*] na aparência da manifestação [objetiva], o conhecimento do sutil, do oculto e do distante. [*Pensamos na aparência das coisas como se ela fosse evidente por si mesma. Este Sutra nos informa que ela pode nos conduzir, pela meditação, àquilo que foge ao alcance de nossa percepção normal.*]

भुवनज्ञानं सूर्ये संयमात् ॥ २७ ॥

bhuvanajñānaṁ sūrye saṁyamāt ||27||

चन्द्रे ताराव्यूहज्ञानम् ॥ २८ ॥

candre tārāvyūhajñānam ||28||

ध्रुवे तद्गतिज्ञानम् ॥ २९ ॥

dhruve tadgatijñānam ||29||

नाभिचक्रे कायव्यूहज्ञानम् ॥ ३० ॥

nābhicakre kāyavyūhajñānam ||30||

कण्ठकूपे क्षुत्पिपासानिवृत्तिः ॥ ३१ ॥

kaṇṭhakūpe kṣutpipāsānivṛttiḥ ||31||

कूर्मनाड्यां स्थैर्यम् ॥ ३२ ॥

kūrmanāḍyāṁ sthairyam ||32||

27. Do Samyama no Sol vem o conhecimento acerca do universo.

28. Na Lua, o conhecimento da disposição das estrelas.

29. Na estrela polar, o conhecimento de sua trajetória [ou movimento – das estrelas]. [*A estrela polar parece estar fixa no céu, e tudo mais gira em torno dela. Assim também tudo deve girar em torno do eu que reside no coração.*]

30. Na roda [*chakra*] do umbigo, o conhecimento sobre a disposição do corpo.

31. No poço da garganta (pomo-de-adão), a desaparição da fome e da sede. [*O "poço da garganta" é a porta de entrada do alimento. Aprender a relacionar-se bem com ele é essencial para que não haja prejuízo para o corpo.*]

32. Na kurmanadi (o "canal da tartaruga" na anatomia sutil), a firmeza. [*A firmeza, segundo Patanjali, é uma característica do asanam.*]

Sutras III, 27 e 28 *A palavra para universo, aqui, é bhuvana, que denota aquilo que tem existência real. É diferente de nosso conceito vulgar de universo, porque inclui o mundo subjetivo de cada criatura. O subjetivo também é considerado existente.*

As estrelas são as constelações e outras figuras estruturais da astrologia, por meio das quais se organiza o tempo, ordena-se o ritual e encontra-se a qualidade intrínseca (seja boa, seja ruim) de cada momento da vida. São o conjunto das forças fora de nosso corpo.

मूर्धज्योतिषि सिद्धदर्शनम् ॥ ३३ ॥

mūrdhajyotiṣi siddhadarśanam ||33||

प्रातिभाद् वा सर्वम् ॥ ३४ ॥

prātibhād vā sarvam ||34||

हृदये चित्तसंवित् ॥ ३५ ॥

hṛdaye cittasaṁvit || 35||

सत्त्वपुरुषयोरत्यन्तासंकीर्णयोः प्रत्ययाविशेषो भोगः

परार्थत्वात् स्वार्थसंयमात् पुरुषज्ञानम् ॥ ३६ ॥

sattvapuruṣayoratyantāsaṅkīrṇayoḥ pratyayāviśeṣo bhogaḥ

parārthatvāt svārthasaṁyamāt puruṣajñānam ||36||

ततः प्रातिभश्रावणवेदनादर्शास्वादवार्ता जायन्ते ॥ ३७ ॥

tataḥ prātibhaśrāvaṇavedanādarśāsvādavārtā jāyante ||37||

ते समाधाव् उपसर्गा । व्युत्थाने सिद्धयः ॥ ३८ ॥

te samādhāv upasargā| vyutthāne siddhayaḥ ||38||

Esta figura com 12 pétalas representa o chakra do coração, chamado de anahata. O mantra Yam ressoa em seu centro.

33. Na luminosidade [*jyotis*] da testa (ou da cabeça), a visão do siddha. [*A obtenção da visão (ou da opinião) daquele que é perfeito pode ser o resultado esperado aqui. Ou pode ser simplesmente a capacidade de ver o que está perfeito ou completo (dentro ou fora de nós).*]

34. Ou, a partir da intuição [*pratibha*], tudo [se conhece]. [*Esta frase resume o sentido da meditação: despertar o conhecimento intuitivo dentro de nossa vida.*]

35. No coração, o reconhecimento de *citta*. [*Depois do Sutra anterior, este é a conclusão natural do processo do Yoga. O coração é a sede da intuição e o assento ideal para o núcleo central de nossa mente.*]

36. O desfrute confunde a percepção de que sattva e purusa são claramente distintos. O conhecimento do purusa provém do Samyama em seu próprio objeto [*artha*] a partir da dependência de outros objetos [ou interesses].

37. Daí nascem a intuição, o conhecimento revelado (audição sutil), a sensação (tato sutil), o ideal (visão sutil), o prazer da fruição [*da arte*](paladar sutil) e o bem-estar (faro sutil). [*Todas essas sutilezas derivam de fecharmos nosso foco no que de fato tem a ver com a nossa natureza.*]

38. Eles são prenúncios, no *Samadhi;* [mas são] o sucesso final, na dispersão da mente.

Sutra III, 36 *Precisamos saber limitar o foco ao objeto que de fato é de nosso interesse, para que a natureza do purusa se revele em nossa mente. A mente confunde o essencial (sattva), que é uma qualidade da matéria com o espiritual (purusa), embora sejam naturezas claramente distintas.*

Sutra III, 38 *A palavra prenúncio é "upasarga", que também significa "prefixo" (em gramática) – e Patanjali certamente sabia disso. Ela tem o sentido de "prenúncio". Contudo, Vyasa, em seu comentário aos Sutras, interpreta upasarga como "pratyanika" (oposição).*

बन्धकारणशैथिल्यात् प्रचारसंवेदनाच् च चित्तस्य परशरीरावेशः ॥ ३९ ॥

bandhakāraṇaśaithilyāt pracārasaṁvedanāc ca cittasya paraśarīrāveśaḥ ||39||

उदानजयाज्जलपङ्ककण्टकादिष्वसङ्ग उत्क्रान्तिश्च ॥ ४० ॥

udānajayājjalapaṅkakaṇṭakādiṣvasaṅga utkrāntiśca ||40||

समानजयात् प्रज्वलनम् ॥ ४१ ॥

samānajayāt prajvalanam ||41||

श्रोत्राकाशयोः संबन्धसंयमाद् दिव्यं श्रोत्रम् ॥ ४२ ॥

śrotrākāśayoḥ sambandhasaṁyamād divyaṁ śrotram ||42||

कायाकाशयोः संबन्धसंयमाल् लघुतूलसमापत्ते श्चाकाशगमनम् ॥ ४३ ॥

kāyākāśayoḥ sambandhasaṁyamāl laghutūlasamāpatteścākāśagamanam ||43||

बहिरकल्पिता वृत्तिर्महाविदेहा । ततः प्रकाशावरणक्षयः ॥ ४४ ॥

bahirakalpitā vṛttirmahāvidehā| *tataḥ prakāśāvaraṇakṣayaḥ* ||44||

Sutra III, 41 *Samana é um sopro relacionado à região do umbigo, que tem a ver com a nossa identidade e com a digestão, ambos relacionados ao fogo. Vyasa comenta brevemente sobre este Sutra, que "quem conquistou samana, tendo feito soprar da chama (de seu próprio vigor), brilha (como o fogo)". Isso expressa o carisma de quem manifesta sua natureza autêntica em seu comportamento.*

39. Pelo relaxamento do "agente amarrador" [*bandhakarana*] e pela percepção do comportamento de citta, [obtém-se] a entrada em outros corpos. [*O agente amarrador tem dois sentidos no Yoga: tanto serve para designar a força que prende a nossa atenção em objetos externos quanto a força que vincula citta ao nosso corpo.*]

40. Da conquista de udana, o não contato com água, lama, espinho etc. e a ascensão (ou levitação). [*Udana é composto pelo prefixo "ut", que significa "para cima", e representa as forças sutis que arrastam a matéria para o alto, contra a força da gravidade.*]

41. Da conquista de *samana,* o brilho do fogo. [*Sobre este brilho pessoal, que às vezes se oculta, veja o Sutra 44, a seguir*].

42. Do Samyama sobre a vinculação da audição ao *akasa,* surge a audição divina.

Sutra III, 44 *A construção da atividade mental com independência do corpo faz dela a "grande incorpórea", que integra o interno ao externo, e então o brilho de nossa natureza se manifesta. O ocultamento da luz mencionado neste Sutra é idêntico ao que aparece no Sutra II, 52, quando o assunto é o Pranayama.*

43. Do Samyama sobre a vinculação do corpo ao *akasa,* e pela obtenção da leveza do algodão, a [livre] movimentação pelo espaço [*akasa*].

44. A atividade mental construída para fora é a "grande incorpórea". Dela advém a destruição do ocultamento da luz [*prakasa*].

स्थूलस्वरूपसूक्ष्मान्वयार्थवत्त्वसंयमाद्भूतजयः ॥ ४५ ॥

sthūlasvarūpasūkṣmānayārthavattvasaṁyamādbhūtajayaḥ ||45||

ततोऽणिमादिप्रादुर्भावः कायसंपत्
तद्धर्मानभिघातश्च ॥ ४६ ॥

tato'ṇimādiprādurbhāvaḥ kāyasampat
taddharmānabhighātaśca ||46||

रूपलावण्यबलवज्रसंहननत्वानि कायसंपत् ॥ ४७ ॥

rūpalāvaṇyabalavajrasaṁhananatvāni kāyasampat ||47||

ग्रहणस्वरूपास्मितान्वयार्थवत्त्वसंयमाद्
इन्द्रियजयः ॥ ४८ ॥

grahaṇasvarūpāsmitānvayārthavattvasaṁyamād
indriyajayaḥ ||48||

ततो मनोजवित्वं विकरणभावः प्रधानजयश्च ॥ ४९ ॥

tato manojavitvaṁ vikaraṇabhāvaḥ pradhānajayaśca ||49||

सत्त्वपुरुषान्यताख्यातिमात्रस्य सर्वभावाधिष्ठातृत्वं
सर्वज्ञातृत्वं च ॥ ५० ॥

sattvapuruṣānyatākhyātimātrasya sarvabhāvādhiṣṭhātṛtvaṁ
sarvajñātṛtvaṁ ca ||50||

तद्वैराग्यादपि दोषबीजक्षये कैवल्यम् ॥ ५१ ॥

tadvairāgyādapi doṣabījakṣaye kaivalyam ||51||

Sutras III, 46 e 47 *A não obstrução se refere ao dharma do corpo, porque citta se tornou "incorpóreo" (Sutra 44), deixando o corpo livre para manifestar sua natureza espontaneamente. Há um paralelo no Sutra II, 43, a perfeição dos sentidos do corpo, obtida por meio do tapas.*

Sutras III, 50-56 *Esta série de Sutras esclarece a importância do discernimento na doutrina do Yoga. A existência plena e o conhecimento pleno colocam o yogui em uma posição de destaque, da qual ele pode se orgulhar. A natureza sorri para o yogui e o convida para o desfrute do que há de mais agradável aos sentidos e das mais elevadas e importantes companhias. No entanto, o yogui não se afeta, sua mente não se perturba, e ele se mantém firme em seu caminho de libertação. Ele reconhece o momento presente (e sua marcha eterna) como o único tempo verdadeiro. Isso fortalece seu discernimento e abre para o yogui o saber que brota do coração. O discernimento (viveka) é o coração do método de Patanjali, pois destrói a falta de sabedoria (raiz de*

45. Do Samyama sobre a significação da natureza do grosseiro, que conduz ao sutil, surge o domínio sobre os elementos.

46. Daí vêm poderes como anima etc. e também a perfeição do corpo e a não obstrução ao seu dharma.

47. Forma, graça, força e a solidez de um diamante [*vajra*] são a perfeição do corpo.

48. Do Samyama sobre a significação da natureza da captação, que conduz à egoidade, surge o domínio sobre os órgãos (o texto não diz se são os órgãos de percepção, ou de ação).

49. Daí surgem a rapidez de pensamento (de manas), a independência em relação aos instrumentos corporais e o domínio sobre a natureza primordial [*pradhana*]

50. Da completa percepção da diferença entre *sattva* e *purusa*, (surgem) a condição que produz uma existência plena [*sarvabhava*] e a condição que produz o conhecimento pleno [*sarvajna*].

51. Do desapego até mesmo disso, na destruição da semente do erro [*dosa*] surge o kaivalyam. [*Consulte também o Sutra 56.*]

स्थान्युपनिमन्त्रणे सङ्गस्मयाकरणं पुनः अनिष्टप्रसङ्गात् ॥ ५२ ॥

sthānyupanimantraṇe saṅgasmayākaraṇaṁ punaḥ aniṣṭaprasaṅgāt ||52||

क्षणतत्क्रमयोः संयमादविवेकजं ज्ञानम् ॥ ५३ ॥

kṣaṇatatkramayoḥ saṁyamādavivekajaṁ jñānam ||53||

जातिलक्षणदेशैरन्यताऽनवच्छेदात् तुल्ययोस्ततः प्रतिपत्तिः ॥ ५४ ॥

jātilakṣaṇadeśairanyatā'navacchedāt tulyayostataḥ pratipattiḥ ||54||

तारकं सर्वविषयं सर्वथाविषयम् अक्रमं चेति विवेकजं ज्ञानम् ॥ ५५ ॥

tārakaṁ sarvaviṣayaṁ sarvathāviṣayam akramaṁ ceti vivekajaṁ jñānam ||55||

सत्त्वपुरुषयोः शुद्धिसाम्ये कैवल्यम् ॥ ५६ ॥

sattvapuruṣayoḥ śuddhisāmye kaivalyam ||56||

इति पतञ्जलिविरचिते योगसूत्रे तृतीयो विभूतिपादः समाप्तः ॥ ३ ॥

iti Patanjaliviracite yogasūtre tṛtīyo vibhūtipādaḥ samāptaḥ ||3||

todas as perturbações que afetam a mente), como nos informa o Sutra II, 26.

52. No chamamento das grandes forças [ou de pessoas em posição superior], não usar de orgulho nem apego, [para não correr risco] ainda outra vez, do apego ao indesejável. [*O yogui coloca-se acima das vaidades mundanas e não cede à tentação do abhinivesa, o desejo de fazer parte de um círculo de relacionamentos, por mais elevado que ele seja – consulte o Sutra II, 9, sobre o abhinivesa*].

53. Do Samyama sobre o momento [*ksana*] e a sua marcha [*krama*], surge o conhecimento nascido do discernimento.

54. Daí vem a percepção de dois equivalentes, cuja diferença não se pode distinguir por espécie, sinais distintivos ou localização.

55. O conhecimento nascido do discernimento é libertador [*taraka*], alcança tudo (sarvavisaya), alcança de todas as maneiras (sarvathavisaya) e ocorre de uma única vez (akrama).

56. Na semelhança da pureza de sattva e purusa, surge o kaivalyam.

Assim se completa o terceiro capítulo, chamado "Vibhuti" nos Sutras do Yoga compostos por Patanjali.

Capítulo IV

Kaivalyam

॥कैवल्यपादः॥
||kaivalyapādaḥ||

जन्मौषधिमन्त्रतपःसमाधिजाः सिद्धयः ॥ १ ॥

janmauṣadhimantratapaḥsamādhijāḥ siddhayaḥ ||1||

जात्यन्तरपरिणामः प्रकृत्यापूरात् ॥ २ ॥

jātyantarapariṇāmaḥ prakṛtyāpūrāt ||2||

निमित्तम् अप्रयोजकं प्रकृतीनां । वरणभेदस्तु ततः क्षेत्रिकवत् ॥ ३ ॥

nimittam aprayojakaṁ prakṛtīnāṁ| varaṇabhedastu tataḥ kṣetrikavat ||3||

निर्माणचित्तान्यस्मितामात्रात् ॥ ४ ॥

nirmāṇacittānyasmitāmātrāt ||4||

प्रवृत्तिभेदे प्रयोजकं चित्तम् एकम् अनेकेषाम् ॥ ५ ॥

pravṛttibhede prayojakaṁ cittam ekam anekeṣām ||5||

तत्र ध्यानजम् अनाशयम् ॥ ६ ॥

tatra dhyānajam anāśayam ||6||

Kaivalyam

1. As siddhis são produzidas pelo nascimento, por ervas [*osadhi*], pelos *mantras*, pelo tapas ou pelo Samadhi.

Sutra IV, 3 *Patanjali nos diz que o Yoga não muda as regras da natureza, apenas faz dessas regras um instrumento eficaz para alcançar a libertação. O comentário de Vyasa a este Sutra diz que: "A intenção (motivação), como dharma e outros, não é o que produz as atividades naturais. O instrumento não pode ser produzido pela tarefa". A figura do agricultor nos lembra o "conhecedor do campo (ou do corpo)" mencionado na Bhagavad Gita (capítulo 13, 1).*

2. É uma transformação [*parinama*] de outra espécie, proveniente da abundância das "atividades da matéria" [*prakrtis*]. [*As prakrtis são as muitas, e abundantes, atividades do pradhana. O pradhana é a inteligência diretora dos fenômenos materiais.*]

3. A intenção não é a criadora das atividades da matéria, apenas a separação daquilo que foi escolhido, daí estar provida de um agricultor. [*A seleção na agricultura corresponde às escolhas que fazemos no cultivo de uma atitude correta, yoguica. Isso é a purificação. O agricultor é o coração.*].

Sutras IV, 4 a 8 *Embora gostemos de pensar que nossa mente é uma só, a doutrina do Yoga diz que há muitos núcleos (cittas) dentro de nossa mente e que apenas um deles tem a capacidade de promover o recolhimento das atividades mentais (a proposta do Yoga). As vasanas são os pensamentos elaborados pelos outros núcleos, com o objetivo de se fortalecer, mas elas também nos afastam de nossa natureza autêntica.*

4. Os cittas criados [*nirmana*] [pela mente] surgem de dentro dos limites da egoidade [*asmita*].

5. Um único citta dentre muitos é eficaz no corte da tendência à atividade [*pravrtti*].

6. Lá [esse *citta*] é o assento da mente [*manas*], nascido de *dhyana*.

कर्माशुक्लाकृष्णं योगिनः त्रिविधम् इतरेषाम् ॥ ७ ॥

karmāśuklākṛṣṇaṁ yoginaḥ trividham itareṣām ||7||

ततस्तद्विपाकानुगुणानाम् एवाभिव्यक्तिर्वासनानाम् ॥ ८ ॥

tatastadvipākānuguṇānām evābhivyaktirvāsanānām ||8||

जातिदेशकालव्यवहितानाम् अप्यानन्तर्यं
स्मृतिसंस्कारयोः एकरूपत्वात् ॥ ९ ॥

jātideśakālavyavahitānām apyānantaryaṁ

smṛtisaṁskārayoḥ ekarūpatvāt ||9||

तासाम् अनादित्वं चाशिषो नित्यत्वात् ॥ १० ॥

tāsām anāditvaṁ cāśiṣo nityatvāt ||10||

हेतुफलाश्रयालम्बनैः संगृहीतत्वाद् एषाम्
अभावे तदभावः ॥ ११ ॥

hetuphalāśrayālambanaiḥ saṇgṛhītatvād eṣām

abhāve tadabhāvaḥ ||11||

अतीतानागतं स्वरूपतोऽस्त्यध्वभेदाद् धर्माणाम् ॥ १२ ॥

atītānāgataṁ svarūpato'styadhvabhedād dharmāṇām ||12||

Sutra IV, 9 *Os diversos núcleos (cittas) em nossa mente constroem uma nuvem difusa de pensamentos (vasanas) que buscam, cada um deles, atrair continuamente a nossa atenção para o assunto que carregam. A mente identifica-se com esses pensamentos, seus hábitos e memórias, como se fossem a expressão do nosso atma, embora não o sejam.*

7. As ações dos yoguis não são nem brilhantes, nem obscuras. De três tipos são as dos outros. [*As ações movidas pelos estímulos mundanos estão sujeitas às qualidades (gunas) próprias da matéria*].

8. Daí que a manifestação das *vasanas* é exatamente da mesma qualidade [*guna*] de seus resultados. [*As vasanas são pensamentos comuns, orientados por desejos, que se baseiam na memória e são movidos pelos samskaras.*]

9. As vasanas seguem em uma sucessão ininterrupta, advinda da identificação [da mente] com as memórias e os hábitos [*samskaras*] e também com as separações em espécie, lugar e tempo.

10. E [a condição] delas [das *vasanas*] é sem início [*anaditva*], em razão de seu apelo ser contínuo.

11. Pelo fato de [as *vasanas*] serem mantidas juntas pela relação causa e fruto, pelo (mútuo) apoio e pela (mútua) dependência, na não existência deste, não existe aquela. [*As vasanas se esforçam por receber o apoio de outras vasanas, tornando-se mutuamente dependentes. Nenhuma delas se sustenta por si mesma, pois não tem relação com o dharma*].

12. Passado e futuro existem, originados da natureza autêntica, a partir de um corte na trajetória dos dharmas.

ते व्यक्तसूक्ष्मा गुणात्मानः ॥ १३ ॥

te vyaktasūkṣmā guṇātmānaḥ ||13||

परिणामैकत्वाद् वस्तुतत्त्वम् ॥ १४ ॥

pariṇāmaikatvād vastutattvam ||14||

वस्तुसाम्ये चित्तभेदात् तयोर्विभक्तः पन्थाः ॥ १५ ॥

vastusāmye cittabhedāt tayorvibhaktaḥ panthāḥ ||15||

न चैकचित्ततन्त्रं वस्तु तद् अप्रमाणकं तदा किं स्यात् ॥ १६ ॥

na caikacittatantraṁ vastu tad apramāṇakaṁ tadā

kiṁ syāt ||16||

तदुपरागापेक्षत्वात् चित्तस्य वस्तु ज्ञाताज्ञातम् ॥ १७ ॥

taduparāgāpekṣatvāt cittasya vastu jñātājñātam ||17||

सदा ज्ञाताश्चित्तवृत्तयस्तत्प्रभोः

पुरुषस्यापरिणामित्वात् ॥ १८ ॥

sadā jñātāścittavṛttayastatprabhoḥ

puruṣasyāpariṇāmitvāt ||18||

SUTRAS IV, 12 A 15 O presente faz um corte nessa trajetória abstrata, que é o puro devir dos dharmas. Os dharmas são as condições que expressam a natureza autêntica das coisas. Eles produzem as características (gunas) que as coisas oferecem para a nossa percepção. No entanto, como temos vários cittas dentro de nossa mente, podemos perceber a mesma coisa de maneiras diferentes, alternadamente. Nossa percepção, que combina a visão dos vários cittas dentro de nós, fragmenta-se. A percepção da coisa, para ser unificada, depende do citta central ter recebido as tranformações pelo Samyama, tendo fortalecido o dharma do observador, de modo a evitar rupturas na integridade de sua mente.

SUTRA IV, 18 Se, por um lado, citta que pode ser transformado pela meditação não tem uma percepção completa da coisa, o purusa, que é imutável, tem uma percepção completa das atividades de citta e se vale de citta para desfrutar do mundo manifestado.

13. Eles [os *dharmas*] são manifestos ou sutis, com a mesma natureza das qualidades da matéria [*gunas*].

14. A natureza (perceptível) da coisa resulta da unicidade da transformação [*parinama*] [de *citta*].

15. A coisa [*vastu*] pode ser a mesma, mas, havendo ruptura em citta, dessas duas condições surgem caminhos múltiplos [de percepção]. [*A ruptura é a perda do controle sobre a coletividade dentro de nossa mente.*]

16. E a coisa não é a apreensão de um único citta, que se não estivesse evidente [para esse *citta*], então, o que seria?

17. Por causa da referencialidade do colorido, a coisa é conhecida [*jnata*] ou desconhecida de citta. [*Um determinado citta pode não perceber uma mesma coisa que outro citta. Por essa razão, se damos o controle de nossa percepção a um ou a outro citta, podemos ter visões múltiplas e diversas do mundo.*]

18. As atividades [*vrttis*] de citta são sempre conhecidas do soberano purusa, por causa da imutabilidade [de *purusa*].

न तत् स्वाभासंदृश्यत्वात् ॥ १९ ॥

na tat svābhāsandṛśyatvāt ||19||

एकसमये चोभयानवधारणम् ॥ २० ॥

ekasamaye cobhayānavadhāraṇam ||20||

चित्तान्तरदृश्ये बुद्धिबुद्धेरतिप्रसङ्गः
स्मृतिसंकरश्च ॥ २१ ॥

cittāntaradṛśye buddhibuddheratiprasaṅgaḥ
smṛtisaṅkaraśca ||21||

चितेरप्रतिसंक्रमायास्तदाकारापत्तौ स्वबुद्धिसंवेदनम् ॥ २२ ॥

citerapratisaṅkramāyāstadākārāpattau
svabuddhisaṁvedanam ||22||

द्रष्टृदृश्योपरक्तं चित्तं सर्वार्थम् ॥ २३ ॥

draṣṭṛdṛśyoparaktaṁ cittaṁ sarvārtham ||23||

तदसंख्येयवासनाचित्रम् अपि परार्थं
संहत्यकारित्वात् ॥ २४ ॥

tadasaṅkhyeyavāsanācitram api parārthaṁ
saṁhatyakāritvāt ||24||

विशेषदर्शिन आत्मभावभावनाविनिवृत्तिः ॥ २५ ॥

viśeñadarśina ātmabhāvabhāvanāvinivṛttiḥ ||25||

SUTRAS IV, 19 E 20

Citta não é aquele que vê, citta não é o si mesmo, não é o atma. Ele é o instrumento de percepção do si mesmo. Ele não expressa o si mesmo, porque citta é perceptível para o atma ou o purusa, que é o verdadeiro percebedor – ainda que seja difícil distinguir um de outro, em um mesmo momento.

19. Aquilo (citta) não é autoexpressivo [*svabhasa*], por causa de [sua] visibilidade [*drsyatvam*].

20. E, num mesmo momento, não se pode determinar ambos com clareza.

SUTRAS IV, 21 A 25

Apenas um citta, entre muitos, é capaz de expressar a inteligência do purusa, que é imutável. Ele também é capaz de perceber a presença de motivações, na mente, que não pertencem à sua natureza autêntica, mas que constituem fantasias sobre o mundo e sobre si mesmo. Ao discernir essa diferença entre o autêntico e o alheio, esse citta desfaz as fantasias e mergulha em si mesmo.

21. Na visão de outro citta, existe muita mistura de inteligências e confusão na memória.

22. O encontro de sua própria inteligência [se dá] na imutabilidade de suas formas, a partir da não mesclagem de suas maneiras de perceber.

23. Citta, tingido por aquele que vê e pelos objetos visíveis, é capaz de perceber todo tipo de motivações.

24. Ele (citta), matizado também por incontáveis vasanas, tem motivações alheias, em razão de sua atividade conjunta.

25. Para aquele que vê a diferença, há a cessação das fantasias [*bhavanas*] sobre si mesmo. [*Quem enxerga a diferença entre o núcleo verdadeiro de sua mente e os diversos outros núcleos interrompe o circuito das fantasias sobre si mesmo. Não há o que imaginar, pois a percepção de sua própria natureza se torna uma experiência direta e vivencial.*]

तदा विवेकनिम्नं कैवल्यप्राग्भारं चित्तम् ॥ २६ ॥

tadā vivekanimnaṁ kaivalyaprāgbhāraṁ cittam ||26||

तच्छिद्रेषु प्रत्ययान्तराणि संस्कारेभ्यः ॥ २७ ॥

tacchidreṣu pratyayāntarāṇi saṁskārebhyaḥ ||27||

हानम् एषां क्लेशवदुक्तम् ॥ २८ ॥

hānam eṣāṁ kleśavaduktam ||28||

प्रसंख्यानेऽप्यकुसीदस्य
सर्वथाविवेकख्यातेर्धर्ममेघः समाधिः ॥ २९ ॥

prasaṅkhyāne'pyakusīdasya

sarvathāvivekakhyāterdharmameghaḥ samādhiḥ ||29||

ततः क्लेशकर्मनिवृत्तिः ॥ ३० ॥

tataḥ kleśakarmanivṛttiḥ ||30||

तदा सर्वावरणमलापेतस्य
ज्ञानस्याऽनन्त्याज्ज्ञेयम् अल्पम् ॥ ३१ ॥

tadā sarvāvaraṇamalāpetasya

jñānasyā'nantyājjñeyam alpam ||31||

ततः कृतार्थानां परिणामक्रमपरिसमाप्तिर्गुणानाम् ॥ ३२ ॥

tataḥ kṛtārthānāṁ pariṇāmakramaparisamāptirguṇānām ||32||

Sutras IV, 27 e 28 *Mesmo no fim do processo, o yogui ainda pode cometer erros. As vasanas trazem perturbações para a mente, na forma de convicções falsas. Contudo, elas podem ser destruídas da mesma forma como são destruídos os klesas.*

26. Citta, então, com uma inclinação para o discernimento, gravita em direção ao Kaivalyam.

27. Nas falhas disso há [ainda] convicções outras [alheias] decorrentes dos hábitos [*samskaras*].

28. Diz-se que a destruição delas é semelhante à das perturbações [*klesas*]. [Ver Sutras II, 10, 11 e 26]

Sutra IV, 29 *Este Samadhi da nuvem do dharma é uma condição na qual a natureza autêntica do praticante, sob o comando do coração, expande-se e ultrapassa os limites do indivíduo, tingindo o cenário ao seu redor.*

29. Na recompensa de quem não busca recompensas e também na de quem, por todas as maneiras, está atento ao discernimento, surge o Samadhi da nuvem do dharma.

Sutras IV, 30 a 32 *Quando cessa a interferência externa em nossa mente, abre-se para nós um grandioso universo subjetivo. Nossa vida passa a ser pautada por uma agenda interna, e não mais por estímulos externos. A consciência desconecta-se das intermináveis mutações que caracterizam o mundo manifestado. Essas percepções condicionadas já cumpriram sua tarefa e não são mais necessárias.*

30. Daí a cessação [*nivrtti*] das ações perturbadas.

31. Então, há pouco para ser conhecido, por causa da infinitude do conhecimento que foi liberado de todas as impurezas que ocultam [*o brilho de nossa natureza – ver Sutra II, 52*].

32. E, a partir daí, completa-se a marcha das transformações das qualidades [*gunas*], que cumpriram sua finalidade.

क्षणप्रतियोगी परिणामापरान्तनिर्ग्राह्यः क्रमः ॥ ३३ ॥
kṣaṇapratiyogī pariṇāmāparāntanirgrāhyaḥ kramaḥ ||33||

पुरुषार्थशून्यानां गुणानां प्रतिप्रसवः कैवल्यं
स्वरूपप्रतिष्ठा वा चितिशक्तिरिति ॥ ३४ ॥
puruṣārthaśūnyānāṁ guṇānāṁ pratiprasavaḥ kaivalyaṁ
svarūpapratiṣṭhā vā citiśaktiriti ||34||

इति पतञ्जलिविरचिते योगसूत्रे चतुर्थः कैवल्यपादः समाप्तः ॥ ४ ॥
iti Patanjaliviracite Yogasūtre caturthaḥ kaivalyapādaḥ
samāptaḥ ||4||

33. [Essa] marcha, observável no limite extremo das transformações, está reintegrada em um momento. [*O tempo resume-se ao momento presente. Passado e futuro deixam de existir na mente do yogui.*]

34. O kaivalya é a devolução dos gunas ao seu estado original, uma vez que eles não apresentam mais interesse para o purusa, ou "o restabelecimento de sua forma própria é a força da percepção". [*Tudo se resume a encontrar a forma certa de ver o mundo e, ao fazer isso, resgatamos a nossa natureza autêntica, ou seja, realizamos o Yoga.*]

Assim se completa o quarto capítulo, chamado "Kaivalya" nos Sutras do Yoga compostos por Patanjali.

Apêndices

Apêndice A

O Sânscrito e a Evolução do Yoga

O sânscrito é uma língua da família indo-europeia utilizada na Antiguidade entre os povos do Norte da Índia. Ela teria sido trazida por povos nômades que, gradualmente, se estabeleceram por toda aquela região, provenientes, talvez, da Ásia Central, ou do Planalto Iraniano. Esses nômades (integrantes de um conjunto de povos identificados como "indo-europeus") conviveram com os sumerianos e com uma civilização que viveu no Vale do Rio Indo, em épocas tão remotas quanto o terceiro e o quarto milênios antes de nossa era. Esse povo utilizava a língua védica – uma forma anterior do sânscrito – como língua para assuntos sagrados, e essa mesma utilização também foi adotada para o sânscrito.

O vocabulário sânscrito deriva, em grande parte, da língua védica, assim como sua gramática, somadas às muitas contribuições das línguas mais antigas do Sul da Índia. O nome "sânscrito" significa "bem-feito", ou seja, trata-se de uma língua cuja forma é considerada perfeita e que, portanto, deveria ser preservada livre de modificações. Talvez por essa razão tenha sido contemplada com a composição da mais completa gramática de que se tem notícia na Antiguidade – a Ashtadhyayi, composta por Panini. A língua conhecida como sânscrito clássico surge precisamente com a composição dessa gramática.

A população em geral falava uma linguagem mais simples, derivada do indo-iraniano, conhecida como vyavahara ("*comum*"). Embora o sânscrito também tenha sido utilizado por alguns grupos sociais como língua de uso diário, sua utilização principal era destinada à prática do ritual, na condição de língua sagrada. Nesse sentido, havia mesmo quem defendesse o fato de que sua utilização era direito exclusivo da casta sacerdotal, os brahmanes.

A preocupação com a linguagem permeia todo o pensamento indiano. O deus que representa a força criadora do Universo, Brahma, é chamado de Aksarah, que, em sânscrito, significa "indestrutível", mas também é a designação para "sílaba". A literatura védica, em sua última fase, constrói o conceito de que o Universo é criado e sustentado pela palavra, representada por Brahma.

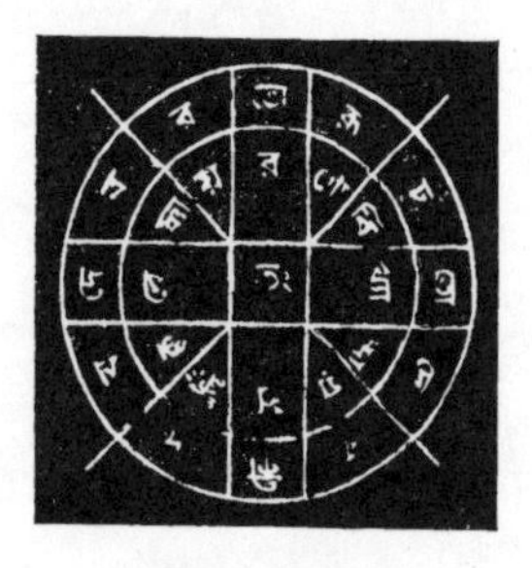

Em um Yantra, um tipo de figura ritual que se acredita ter o poder de guardar as forças de uma divindade, as sílabas ali desenhadas são elementos de poder. A combinação das forças de cada uma delas forma mantras que expressam as forças daquela divindade e trazem a graça da presença divina para junto do seu usuário.

Essa magia somente se torna possível porque a cultura sânscrita ensina que os deuses são constituídos de sílabas.

Por essa tese, nada existe antes de ser criada a possibilidade da percepção. Assim, quando se estabelece a cultura sânscrita, já está madura a ideia de que o processo cognitivo é a matriz do Universo. O primeiro sinal de manifestação do Cosmo é o surgimento do princípio da percepção (buddhi), que surge antes mesmo de haver um "eu" que possa perceber, ou um objeto para ser percebido.

Nos textos conhecidos como Upanishadas, diz-se que Brahma reside dentro do coração. Brahma é a palavra original, é a sílaba indestrutível, mas é também o eu dentro de cada um de nós. Quem reconhece que Brahma é a origem de tudo e que Brahma também é o observador que reside dentro de nós mesmos está pronto para ser iluminado pela luz da verdade. Esse é o espírito que transparece nos últimos tempos da cultura védica, que sai de uma condição inicial marcadamente ritualista para uma condição que gradualmente leva ao místico e ao filosófico.

Essa evolução se pauta em uma relação muito forte com a palavra e a linguagem. Uma relação tão intensa, que leva à crença de que não é possível existir a vida sem a presença poderosa da palavra – o mantra. Cada momento importante do ritual, ou mesmo da vida

८	३	४
१	५	९
६	७	२

Uma obra sânscrita recente, o Ganita Kaumudi, de meados do século XIV, trata extensamente dos quadrados mágicos (como o que reproduzimos acima, em que cada linha soma 15). Essas figuras aliam o poder mágico das sílabas, com a força dos números, da geometria e dos princípios psíquicos que animam o corpo. Eram utilizadas com finalidades terapêuticas. A meditação sobre este que reproduzimos, por exemplo, trazia de volta pessoas que estivessem longe.

mundana, precisa ser fixado ou ativado por um mantra – uma sílaba, palavra ou discurso com o poder de transformar em presença real o que, de outra forma, seria apenas um desejo não realizado.

Se é o mantra que dá vida ao mundo, o pensador sânscrito pode afirmar que já não nos relacionamos com os objetos ou fenômenos materiais, mas sim com o discurso que sobrepusemos a eles. Mais do que isso, nem sequer somos capazes de perceber a verdadeira natureza material, pois alcançamos apenas as palavras-força que lançamos no mundo ao nosso redor e em cuja rede construímos um mundo discursivo que acreditamos ter existência real.

Vishnu, em sua forma de peixe, primeiro de dez avataras, traz para Brahma revelar aos homens os textos sagrados salvos de um período anterior à criação de nosso universo. São os Vedas. Os Vedas são cantados em uma língua própria dos deuses – o ancestral do sânscrito, ou seja, a língua védica.

À imagem de um mundo natural, o hindu associou, portanto, a ideia de que tudo não passa de uma ilusão como aquela produzida por uma narrativa, que nos faz enxergar uma paisagem que apenas existe em palavras. E, no entanto, acabamos por acreditar que estamos lidando com objetos que existem de verdade. Isso é Maya, a grande ilusão.

Todos esses conceitos surgem, evoluem e amadurecem dentro do contexto da literatura sânscrita. As primeiras composições dessa literatura são consideradas como revelações trazidas por nossos antepassados. Por milhares de anos, essa cultura vem produzindo obras consideradas revelações. As mais antigas produziram uma tradição associada aos textos védicos, formando a "sruti" ("aquilo que se ouviu"), enquanto as mais recentes revelações foram dotadas de um perfil mais místico do que ritualista e constituíram uma espécie de movimento cultural dentro do Hinduísmo, que ficou conhecido pelo nome genérico de Tantra.

A literatura da "sruti", ou revelação védica, tratava essencialmente do que se deveria cantar ou falar durante a realização do ritual (sacrifício ao fogo). Com o correr do tempo, surgiram os textos no estilo dos Sutras, que não mais tratavam do ritual, mas de temas filosóficos. Aqui se enquadram os Sutras do Yoga. As Upanishadas, mais místicas, encerraram a fase da revelação védica, abrindo caminho para uma literatura diferente, baseada na restauração de antigas lendas e histórias populares. Essa fase perdura até o momento e recebe a denominação de "memória" ou "tradição".

O Yoga surge, enquanto produção literária, no período da revelação, dentro das Upanishadas. Em especial, na shvetashvatara upanishat, surge uma descrição mais precisa do Yoga, bem como a palavra Shiva (que significa "benigno"), designando o deus Rudra como senhor dos ventos e da respiração. Depois da

Os Vedas apresentam fórmulas mágicas que devem ser recitadas durante os rituais hinduístas.

Os Brahmanas apresentam detalhadas descrições sobre os procedimentos que devem ser adotados nesses rituais.

Os Aranyakas eram textos destinados aos brahmanes que, por força do cumprimento de seus deveres de casta, deveriam passar um período de sua vida na floresta (aranya) em estudos.

Os Sutras (e seus equivalentes mais racionais, as Karikas) já traziam conhecimentos codificados de maneira sistemática.

As Upanishadas serviam essencialmente para um mestre compartilhar, em estilo bastante emocional, suas próprias descobertas místicas com seus alunos.

sistematização de Patanjali, que é esta obra que traduzimos, o Yoga é questionado por brahmanes descontentes e sofre críticas que o afastam temporariamente do foco das produções literárias.

Em defesa do Yoga, surge a literatura tântrica. Com ela, os homens perfeitos (os siddhas) constroem uma nova concepção para o Yoga que incorpora muitos temas antes mantidos em segredo por famílias de especialistas. Essa nova literatura do Yoga associa o coração, a palavra e a força ao movimento respiratório e adota o corpo como ferramenta competente para alcançar a iluminação espiritual. Entre esses sábios tântricos, uma linhagem em particular destacou-se na renovação do Yoga: a dos siddhas nathas.

Na Cashemira, os siddhas elaboram um sistema filosófico heterodoxo que se tornou conhecido modernamente como Shivaísmo da Cashemira, ou escola Trika. Na região do Nepal, os pensadores yoguis da linha Natha promovem uma revolução cultural dentro da qual se destaca a figura emblemática de Goraksha Natha, que descreve a doutrina dos siddhas (Siddha Siddhanta), da qual se origina o Hatha-Yoga. Isso acontece por volta dos séculos X ou XI de nossa era.

Ao longo de todo esse processo histórico do Yoga, a língua sânscrita foi o principal veículo de expressão de suas doutrinas.

Curiosamente, o alfabeto utilizado pelo sânscrito, chamado devanagari, também encontrou seu desenvolvimento, com a evolução da literatura tântrica. Ele surge como alfabeto nagari, na época das primeiras composições atestadas do Tantra, dentro das culturas budista e hindu. Posteriormente, por volta do século VI, procede-se uma modificação no alfabeto nagari, que produz o devanagari, bem mais completo e preciso.

O devanagari, em cujo desenvolvimento certamente os nathas tiveram participação, integra-se perfeitamente às práticas mágicas e místicas do Tantra, e também à sua concepção estrutural de mundo. As letras desse alfabeto estão relacionadas às forças naturais e representadas pela ilustração de cada uma das pétalas dos seis chacras (instrumentos mágicos de meditação criados mentalmente em formato de flores desenhadas sobre a superfície da pele, em determinados pontos de nosso corpo) principais no organismo humano.

Podemos dizer que, além de produzir seus próprios resultados como prática e doutrina, o Yoga também teve o papel de se tornar o principal motivo do estudo e da divulgação da língua sânscrita em tempos modernos. Em certo sentido, essa foi a forma de a doutrina mostrar gratidão à língua que lhe deu o corpo e a sustentação.

Apêndice B

Samkhya e Yoga

Podemos afirmar que são poucos os professores de Yoga que dizem com segurança qual relação une esse seu sistema filosófico ao sistema do Samkhya. Por esse motivo, julgamos oportuno acrescentar algumas informações e lançar alguma luz sobre esse ponto.

O Samkhya é um dos seis Sistemas Filosóficos da ortodoxia hinduísta. Juntamente com o Yoga, ele forma um par classificado como dvaita, ou "dualista", estabelecido sobre uma detalhada enumeração (samkhya significa "número", ou "enumeração") de princípios (tattvas), que caracterizam os vários tipos de comportamento típico da matéria organizada.

O principal formulador do Samkhya teria sido um siddha de nome Kapila (nome que significa "semelhante ao macaco"). Os siddhas são os indivíduos que alcançaram a perfeição e ganharam um perfil, digamos, mitológico. Eram identificados com Vishnu ou Agni, e se diz que eram dotados de extraordinários poderes adquiridos em razão de uma vida ascética e disciplinada.

O texto fundamental do Samkhya, atribuído a Ishvara Krishna, chama-se Samkhya Karika e teria sido composto por volta do terceiro século da Era Cristã. Não se conhece textos anteriores sobre o sistema, mas se faz referência ao Samkhya desde pelo menos um milênio antes do surgimento desse texto, pois é citado explicitamente na Bhagavad Gita. Suas doutrinas são discutidas desde a época da literatura védica, o que sugere uma grande antiguidade para suas origens.

O resultado dos esforços dos teóricos do Samkhya teria sido aproveitado por Patanjali como base para sistematizar algumas práticas iniciáticas muito mais antigas, que ficaram conhecidas como Yoga Darshana, ou sistema filosófico baseado no ajustamento (Yoga) do indivíduo a si mesmo, e não mais na enumeração (Samkhya) dos princípios da Natureza. A diferença entre ambos é o caráter essencialmente prático do sistema do Yoga, que depende muito mais de realização do que de entendimento.

Com o tempo, a credibilidade do Yoga cresceu na medida do sucesso obtido por seus praticantes. Atualmente, não existe mais um movimento ativo baseado apenas no sistema Samkhya, embora os praticantes do Yoga ainda se intitulem muitas vezes "samkhya-yoguis". Na verdade, dos seis darshanas da ortodoxia hinduísta, apenas o Yoga, de Patanjali, e o tardio Vedanta, de Shankaracharya, podem ser considerados vivos, em certa medida, ainda hoje.

Apêndice C
O "Eu" e os outros "Eus"

Há um ponto muito importante na doutrina do Yoga apresentada por Patanjali, que raramente é mencionado por seus comentadores. Trata-se da natureza múltipla da mente, que aparece nos Sutras 4 a 6 do quarto capítulo.

Enquanto imaginamos que temos apenas uma mente a produzir toda a nossa vida subjetiva, Patanjali afirma que há muitas mentes (cittas) dentro de nós, surgidas da própria natureza da mente. São como núcleos mentais que nos imitam, fazendo-se passar por nós mesmos, embora na verdade não o sejam. São muito parecidos entre si, e todos são dotados do princípio do Ahamkara, que faz cada um deles acreditar que seja ele mesmo o Eu verdadeiro.

Um deles apenas, um citta entre inúmeros, tem a capacidade de conter o impulso das atividades da mente e, portanto, dar a ela a possibilidade do recolhimento – que leva ao Kaivalyam. Esse núcleo mental, segundo Patanjali, localiza-se no coração (tal como grande número de textos sânscritos declaram também), pois, no Sutra III, 35, ele declara que, se realizarmos a meditação (Samyama) sobre o coração, obtemos a capacidade de reconhecer citta (o verdadeiro).

Aquilo que conhecemos como "mente" e que acreditamos ser a unidade central de processamento de nossa subjetividade deveria, portanto, ser considerado pelo praticante de Yoga como uma multidão de mentes distintas reunidas em assembleia. Um colegiado de pensamentos (vasanas) que disputam constantemente nossa atenção e que defendem seus pontos de vista com explicações e justificativas retóricas. Cada um desses pensamentos se defende como pode para capturar e manter sobre si nossa atenção, pois essa é a única maneira de assegurar sua sobrevivência dentro de nós.

No entanto, os únicos pensamentos que merecem nossa atenção de verdade são aqueles produzidos pelo verdadeiro eu dentro de nós – aquele que reside no coração. Somente esse eu do coração pode produzir o estado de ânimo que nos dá paz e equilíbrio e que nos permite viver com autenticidade nossa própria natureza (svarupa).

O grande problema é o apego que desenvolvemos em relação às justificativas que encontramos para dar atenção a pensamentos, valores e sentimentos falsos – que não dizem respeito à nossa natureza. Aceitamos nossas perversões como se fossem uma parte verdadeira de nós mesmos e damos a elas nossa complacência, na medida em que elas nos estimulam a adotar atitudes que nos prejudicam ou que nos trazem proveito às expensas dos outros.

Patanjali dá a receita para que o nosso eu verdadeiro – aquele que vê o mundo a partir de dentro de nossos olhos – possa se manifestar em sua natureza autêntica: discernimento, adotado com *disciplina* e *desapego*. Estas são as duas pernas que fazem o Yoga caminhar para o sucesso e que também fazem a nossa atitude pessoal se ajustar com perfeição ao nosso eu espiritual.

Apêndice D

Asmita – a questão da "Egoidade"

Talvez a mais complexa questão levantada pelos Sutras de Patanjali seja a que trata da origem e da natureza do eu. Percebemos uma grande confusão de conceitos na quase totalidade das traduções disponíveis, em tudo o que se refere ao caráter do que se convencionou chamar de "egoidade", ou seja, a condição conceitual da percepção de si mesmo como individualidade independente.

Acreditamos que essa confusão se deva, em parte, a uma distinção obscura entre os diversos aspectos da estrutura e dos princípios mentais, bem como à própria mistura de definições básicas na tradução de algumas palavras sânscritas que expressam os princípios e as estruturas componentes do ser humano. Por essa razão, vamos enunciar alguns esclarecimentos sobre a terminologia empregada no texto (parte da qual tem sido utilizada livremente, embora de maneira inadequada, por autores de livros de esoterismo, filosofia e orientalismo, entre outros). Depois, vamos traçar poucas linhas sobre o surgimento e o destino futuro da "egoidade" na vida individual, segundo o Sistema Filosófico do Yoga.

A primeira coisa que deve ficar claro para quem quer compreender a questão da egoidade, é que o Yoga explica o que a filosofia Samkhya chamou de tattvas [naturezas ou princípios] como funcionalidades que se revelam em nossa estrutura corporal. Um tattva é uma abstração e jamais deve ser confundido com qualquer entidade corporal, seja ela de que natureza for. Assim, o princípio atma não tem existência substancial, seja densa, seja sutil, mas é um tipo peculiar de funcionalidade que pode se projetar sobre alguma entidade substancial, atribuindo a essa entidade a característica de individualidade que lhe é própria.

O Yoga atua levando em consideração os princípios que regem o funcionamento do organismo físico, psíquico e espiritual do ser humano, mas procura identificar os órgãos ou as estruturas desse organismo que são acionadas nesse processo, como citta, ou antahkarana (o agente interno) e outros componentes corporais cujo funcionamento esteja vinculado às características desses princípios.

Vemos a palavra sânscrita "asmita" traduzida frequentemente por "egoísmo", o que, a rigor, está incorreto. Asmita é um conceito abstrato que torna substantiva a condição expressa pela conjugação "eu sou" (asmi) por meio de um sufixo (ta), que traz essa característica peculiar de dar nome a conceitos abstratos de ação. O resultado é algo que lembra a ideia ocidental de apercepção, ou seja, a condição daquele que percebe a si mesmo.

Perceber a própria existência é um fenômeno que pode ser compreendido dentro de um largo espectro de variações, desde a inconsciência mais elementar, passando pela plena consciência intelectual ou emocional, e evoluindo progressivamente para uma perfeita inconsciência espiritual – que é a percepção de si mesmo integrado à totalidade. Esta última forma de perceber que existimos nos oferece a oportunidade de experimentar um sentimento de plena satisfação e felicidade que os indianos batizaram com o nome de "ananda".

Bibliografia

Esta tradução dos Sutras do Yoga foi produzida diretamente a partir do texto original sânscrito. O original utilizado foi uma versão digital do texto, obtida a partir de um trabalho de conciliação de pequenas diferenças encontradas em arquivos disponíveis para download na internet, em especial no endereço *http://sanskritdocuments.org/*.

Para esta tradução, foram consultados, além do texto original sânscrito e de um dicionário de sânscrito, algumas traduções dos Sutras que me permitiram delinear, para minha própria referência, um quadro das tendências dos tradutores. Infelizmente, quase todas pecam pela falta de legibilidade do resultado final. Apesar disso, cito algumas delas, a título de ilustração, em ordem decrescente do número de consultas. Algumas traduções foram omitidas por terem sido consultadas apenas muito raramente.

Dicionário

MONIER-WILLIAMS, Sir Monier. *A sanskrit-english dictionary*. Munshiram Manoharlal Publishers, 1986.

Traduções

BABA, B. *The yogasutra of Patanjali*. Delhi, 1982 (Motilal Banarsidass).

CODD, C. M. *Introducción a la Yoga de Patanjali*. México: Editorial Orion, 1975.

JOHNSTON, C. *Los Yogas Sutras de Patanjali*. Buenos Aires: Editorial Kier, 1977.

JUDGE, W. Q. *The aphorisms of Patanjali* (versão disponível na internet).

MEHTA, R. *Yoga, a arte da integração*. Brasília: Editora Teosófica, 1995.

RUKMANI, T. S. *Yogasūtrabhāṣyavivaraṇa of Śaṅkara*. New Delhi: Munshiram Manoharlal Publishers, 2010.

TAIMNI, I. K. *A ciência do Yoga*. Brasília: Editora Teosófica, 1996.

TOLA, F.; DRAGONETTI, C. *Yoga Sutras de Patanjali*. Barcelona: Barral Editores, 1972.

VIVEKANANDA, S. *Raya Yoga* – Conquista de la naturaleza interior. Buenos Aires: Editorial Kier, 1984.

Referências recomendadas

ESNOUL, A. *Les strophes de Samkhya*. Paris: Societé d´édition Les Belles Lettres, 1964.

JOSHI, K. L. et al. *112 upanishads*. New Delhi: Parimal Publications, 2007.

KHANNA, M. *Yantra:* the tantric symbol of cosmic unity. London: Thames and Hudson Ltd., 1979.

RENOU, L. *Hinduísmo.* Lisboa: Editorial Verbo, 1980.

SINH, P. *The hathayogapradipika.* New Delhi: Chaukhamba Sanskrit Pratishthan, 2003.

VASU, S. *The gheranda Samhita.* New Delhi: Chaukhamba Sanskrit Pratishthan, 2003.

ZIMMER, H. *Filosofias da Índia.* São Paulo: Palas Athena, 1986.

Este livro foi impresso pela Gráfica Santa Marta
em fonte Arno Pro sobre papel Pólen Bold 90 g/m²
para a Mantra.